絶望の文在寅、孤独の金正恩

「バイデン・ショック」で自壊する朝鮮半島

重村智計

ワニブックス
PLUS新書

序章　「コリア断捨離」の季節

第二章　トランプの退場

第四章　半島崩壊――北朝鮮の場合

第六章　日本の半島外交と報道の行方

序章　「コリア断捨離」の季節

2019年6月板門店での三者
写真・Avalon／時事通信フォト

ている。

「バイデン・ショック」「トランプ・ロス」症候群

南北朝鮮の二人の指導者が、「バイデン・ショック」と「トランプ・ロス」の表情を見せている。

北朝鮮は、米大統領選から半年が経っても「トランプ落選」と「バイデン大統領誕生」を報道しない。一方、韓国も二〇二一年四月にソウルと釜山の市長選挙で大統領の与党が大敗し、慰安婦訴訟の判決が変更されたが、後（第三章）に詳述するように、これも慰安婦問題の解決を強く望んできたバイデン米大統領の意向に配慮したもので、つまり「バイデン・ショック」が主要な原因であった。

韓国のソウル中央地裁は、二〇二一年四月二十一日、元慰安婦が求めた日本政府への損害賠償請求を却下した。国際法の「主権（国家への）免除の原則」を認めた。しかし同年一月に同地裁は別の裁判部で、「主権免除原則」を否定し、日本政府へ支払いを命じる判決を言い渡していた。この判決に、文在寅《ムン・ジェイン》が「困惑している」と述べたことを受け、裁判所が正反対の判決を出したように見える。韓国には、司法の独立はないと思われる。

判決と同じ日、文大統領はニューヨーク・タイムズの取材で、「トランプ前大統領は、核兵器一発も解決できなかった」と批判した。トランプはすぐに〝応戦〟し「文在寅は指導者としても交渉相手としても無能（weak）」と非難した上で、「金正恩《キム・ジョンウン》は文在寅に全く敬意を払わない」と踏んだり蹴ったりの酷評を述べた。

南北の軍事境界線で、トランプ・文在寅・金正恩が笑顔で並んだシーン（序章扉写真参考）からは、隔世の感がある。

半島崩壊は「米韓同盟崩壊」から始まる

米韓同盟が崩壊の危機に直面している。同盟の崩壊は、韓国崩壊につながる。

同盟の維持には「共通の敵」と「共通の価値観」が必要だが、二〇二一年三月、韓国は初訪韓したブリンケン米国務長官に対して「北朝鮮」と「中国」を米韓「共通の敵」と認めず、米韓共同声明に「北朝鮮の非核化」の文言を入れることと「中国の人権問題」に言及することに反対した。

米韓共通の価値である「自由民主主義」は、死に体だ。もとより、韓国は国内での日本についての言論の自由を許さない「反日全体主義国家」だ。

わたしは韓国人と朝鮮人が好きだ。もちろん、二枚舌の知識人は問題で、日本に来ると「韓国は間違っている」と語りながら、韓国に帰ると反日を語る向きがあり、そういう信念のない人物は嫌いだ。だが国際的人物や「朝鮮日報」の記者には、愛国心あふれる敬うべき人たちがいた。尊敬できる何人もの韓国人と朝鮮人に、実に多くを学んだ。

一方、日本全体の朝鮮半島に対するイメージは、悪化の一途をたどっている。

北朝鮮についていえば、拉致問題を解決しようともせず、拉致被害者家族の悲劇に心を寄せない朝鮮人を、日本人は「血も涙もない人々」と見る。かつては、日本人の中にも北朝鮮を「地上の楽園」と称え、「拉致などありえない」「戦前、朝鮮人を犠牲にしたのだから、日本人がそうした仕打ちを受けるのもやむを得ない」などと心無い言葉をぶつける学者や運動家がいた。

日韓関係も危うい。二〇一七年に大統領に就任した文在寅は「反日戦線外交」を展開し、慰安婦問題、徴用工問題といった歴史認識に関するものだけでなく、貿易や軍事の場面でさえ、これ以上ないほど相互不信が高まっている。

「韓国・北朝鮮にはうんざりだ」

日本は、一向に進展しない北朝鮮との拉致や核交渉はもちろん、政権が変わるたびに両国間の合意が反故にされ、仮にある時三歩進んでも、政権交代により二歩どころか三歩も四歩も後退するような韓国との外交関係に、すっかり「疲れ」ている。

日本社会の朝鮮半島に対する空気や、日本人の心情を一言で言えば「Korea Lost」、つまり「失われたコリア」といったところだろう。もっと言えば「コリア断捨離」の境地にすら至りたい、との思いがある。

イギリスの詩人、ジョン・ミルトンが一六六七年に書いた『Paradise Lost（失楽園）』（岩波文庫）という叙事詩がある。「失楽園」は、聖書の創世記に登場するアダムとエヴァが「エデンの園」から追放された後を描いたものだ。

「エデンの園」には、生命の木と知恵の木があった。神は男性のアダムに「知恵の実を食べないように」と命じた。しかしエヴァはヘビにそそのかされて知恵の実を食べ、アダムにも分け与えた。神は二人が知恵の実を食べたことを知り、「エデンの園」から追放した。ミルトンは、このアダムとエヴァの愛情と、二人がキリストによって救われる物語を描いた。

「Korea Lost」とは、この「Paradise Lost」にちなんだものだ。日本は韓国との友好関係という幻想を失ったし、さらにさかのぼれば日本の進歩派系出版社・新聞社が戦後、長く夢見てきた「北朝鮮は地上の楽園」という幻想を失ったことをも意味する。

朝鮮半島に対する深い失望を抱き、「もう韓国や北朝鮮とは付き合っていられない。考えたくもない」との「断捨離」を望む危険な空気が広まっている。「嫌韓・反北」ならまだ論議ができる分、いい方で、好き嫌い以前に朝鮮半島に対する政治的関心を急速に失っているのだ。韓国の文化・芸術や芸能についての関心は高まっても、政治的関心の低下は止めようがない。

山本七平氏が『「空気」の研究』（文春文庫）で喝破した通り、日本社会は「空気」で動く。「朝鮮半島にはもうかかわりたくない」という空気は、急速に日本に広まっている。

「歴史の記憶をめぐる戦い」が続く

「Paradise Lost」になぞらえて、韓国の友人が教えてくれた聖書にまつわる「韓国ジヨーク」を紹介したい。

「ヘビにそそのかされたアダムとエヴァはユダヤ人だった。だからヘビに騙されたのだ。二人が韓国人だったらどうするか。ヘビを食べてしまうので、騙されることはない」

韓国人は「ヘビ鍋（ペムタン）」や「ヘビ酒」を好むから、笑えるジョークだ。

韓国人には、本来こうした言葉のロジックや表現を楽しむユーモアがある。かつての日韓関係の外交の場面でも、こうしたユーモアが功を奏したことは何度もあった。

だが、文在寅政権の言動には知恵もユーモアもない。それどころか、日本に対しては知恵の実を食べておきながら、目撃者であるヘビも平らげてしまい、「私が知恵の実を食べた証拠がどこにあるというのでしょうか」と開き直る態度さえ見え隠れする。

例えば文在寅の前任の朴槿恵《パク・クネ》政権と日本の安倍政権との間で二〇一五年末に結んだ「慰安婦日韓合意」では、〈日韓間の慰安婦問題の最終的かつ不可逆的な解決を確認した〉としていた。にもかかわらず文在寅は政府間合意の破棄を推進。政府合意に基づいて設置された元慰安婦支援団体「和解・癒やし財団」の解散を命じた。これは国際慣例違反で、韓国政府は国際合意を守らない国になった。

後にも詳述するが、二〇二一年一月、韓国の裁判所が日本に対して元慰安婦への賠償を求める判決を下すと、文在寅大統領は態度を変え「日韓合意は政府間の公式合意」「資産差し押さえ、現金化は望ましくない」と述べた。これはバイデン政権誕生のためだ。

日本人は、限界まで忍耐する国民だが、「堪忍袋の緒」が切れると爆発する。「堪忍袋の緒」がない韓国人には理解できないようで、韓国系新聞の東京特派員でさえ、「日本人は韓流ドラマに感激したのに、なぜ急に怒り出すんだ」と尋ねてくるほどだ。

日韓間で取りざたされる徴用工裁判や慰安婦裁判などにおける対立を、米コロンビア大学のキャロル・グラック教授は「歴史の記憶をめぐる争い」と分析している。教授は「記憶は真実ではない」と、説明しているが、これは正しい解釈といえるだろう。

人間の記憶は、自分の都合のいいように変わる。日韓の研究者や新聞記者の取材に、かつて多くの元慰安婦女性たちは「親に売られ、韓国人の業者に連れられて行った先で、日本軍の相手をさせられた」と述べていた。語られる悲しい人生に、心が痛む証言だった。それが今では、裁判でも「日本の官憲に拉致され、売春を強要された」と〝事実認定〟されるようになった。女性たちの親や朝鮮人業者の存在は、まるで「楽園のヘビ」

を食べてしまったかのように、消えてなくなった。

こうしたふるまいを、日本の庶民は「嘘つき」と受け止める。だが、そうした評価を下す日本人を、韓国人は「右翼」と攻撃する。この基準では、わたしも「右翼」「反動」、あるいは「安倍晋三の仲間」といったところになる。

だが、自分ほど韓国人や朝鮮人を弁護し、知識人の韓国差別と蔑視意識を批判した新聞記者はいない、との自負がわたしにはある。

日本の記者や識者には、わたしが「日本的オリエンタリズム」と呼ぶ感情に基づいた朝鮮半島報道や解説を行う向きが多い。「日本的オリエンタリズム」とは、韓国人や朝鮮人に対する「日本が手助けしてやらなければ、半島はどうにもならない」とする親切を装った差別感情のことである。

わたしはそういうものを報道や分析に持ち込まなかった。そのため、普通の日本人と違って、彼らにとって耳の痛いこともはっきり述べるので、韓国の友人からはよく「あなたみたいな人をチングロプタ（いやらしい）という」とからかわれたものだ。

日韓の人々は、両者の心理の違いと誤解やズレを指摘し、そのギャップを理解に変える記事を必要としているはずだが、そうした記事が韓国で書かれることはない。

だがそれは、日本の記者が韓国、北朝鮮について書く場合も同様である。双方の認識の違い、ギャップを記事の解説やコメントによって埋めて双方の理解を深めようという意志からは程遠く、特に韓国や北朝鮮に思い入れを持った記者は、相手側の「運動」に取り込まれてしまう。

半島にかかわると運動に巻き込まれる

わたしのゼミの卒業生が、関西のテレビ局記者をしている。卒業してどれくらいたったろうか、ある日突然電話が来た。

「明日韓国取材に行く。韓国問題に通じていると自称する関西の評論家と韓国学生の討論を放送するので、ポイントを教えてほしい」と言う。

「それは難しい。韓国学生の方が、日本人をギャフンと言わせる論点をよく知っている。無理だ。勝てない」

「でも、評論家は自信があると言っています」

案の定、日本人評論家はソウルの大学でメタメタに返り討ちにあい、帰ってきた。

実は、わたしはゼミの学生には朝鮮問題を教えなかった。「朝鮮問題を研究したい」と尋ねてくる学生には、「やめておきなさい」とアドバイスした。朝鮮問題に関心を持つと、運動に引きずり込まれるからだ。北朝鮮系の運動家は、初心《うぶ》な日本人学生に「朝鮮の分断に手を貸さないでください」とささやく。この言葉に騙されて道を誤った学生は少なくない。日本人の贖罪意識を刺激することで、運動に取り込もうとすることもある。

こうした「日本人騙し」の手口に利用されないために、わたしは学生たちに次のような回答例を教えた。

「統一しようが分断しようが、韓国人と朝鮮人が決める問題で、日本人は干渉してはいけない。もし干渉しろというなら、それは帝国主義を招くことになる。日本人は巻き込まれ干渉してはいけない」

さらに、「運動は、目的のために嘘をつく」「新聞記者や学者、研究者は、運動家になったら終わりだ。事実と真実の確認をしなくなる」と教えた。

朝鮮半島問題を理解するための五つのポイント

だが、日本では、韓国・北朝鮮報道に携わっているプロであっても、的を外した議論が多い。朝鮮半島問題を扱うには、以下の五つのポイントを押さえる必要がある。

① 北朝鮮は死んでも核兵器を放棄しない。放棄すれば、軍部の反乱が起きるからだ。北朝鮮は、核放棄は「金日成《キム・イルソン》ファミリー王朝」の崩壊を招く、と判断しており、そのため非核化を前提として進めようとしても、米朝の核交渉は成功しない。

② 北朝鮮は、二〇一九年に文在寅が行った「二〇四五年南北統一」演説に怒り心頭である。北朝鮮の価値観においては、あくまでも北朝鮮が韓国を統一するのであって、韓国が北を統一するのではないからだ。

しかも、二〇一九年に行われた米朝のハノイ首脳会談直前に、金正恩は文在寅から「寧辺《ヨンビョン》の核施設一か所を廃棄すれば、トランプは制裁解除に応じる」と保証されたが、トランプは「寧辺プラス数か所の核施設放棄」を求め、制裁解除に応じなかった。金正恩は「文在寅に嘘をつかれた」と激怒し、以降、現在まで金正恩と文在寅は「絶交」状態にある。

③　国際政治としての朝鮮問題が解決しない原因は、北朝鮮が軍事による「統一政策」を放棄せず、韓国との平和共存政策を公式に宣言しないためだ。北朝鮮は大韓民国の存在を認めず、「南朝鮮」と表現し、韓国も北を「北韓」と表記している。

④　韓国の反日の源流は、国民の「アイデンティティ喪失」にある。世代間の対立が激しい社会で、「想像の反日民族主義」が生まれた（ベネディクト・アンダーソンの名著『想像の共同体』（書籍工房早山）がこれを説明する）。日本は韓国民の「アイデンティティ喪失」を理解できず、単なる「反日感情」と誤解している。そのため、双方の認識に齟齬《そご》が生まれる。

日本では、韓国経済成長の要因は「漢江の奇跡」を実現した朴正熙《パク・チョンヒ》大統領と日本の協力のおかげ、と考えられている。だが現在の韓国左翼は、この視点を全否定する。背景には儒教文化と歴史観の違いがある。

⑤　日本での戦後の「嫌韓」意識は、岩波書店が源流である、とわたしは考えている。韓国の存在を認めず「南朝鮮」との表記を続け、四十年以上も日本の知識層に「韓国存在せず」の認識を押し付けた。韓国の著名な政治学者・韓相一《ハン・サンイル》教授が著書の『(日

本）知識人の傲慢と偏見』（未邦訳）で「岩波書店は親北・反韓の立場」と批判したほどだった。

本書ではこうした五つのポイントを踏まえながら、近年の朝鮮半島情勢を分析、日本の外交姿勢はどうあるべきかに加え、崩壊へ向かう「半島の行く末」を読み解く。中国と朝鮮半島の国家は、幾度となく崩壊した。日本は崩壊しなかった。これが歴史の教訓である。

まずは役者にご登場いただこう。幕開けの主演はもちろん、金正恩・トランプ・文在寅の三人である。

第一章　孤独の金正恩

2021年1月、朝鮮労働党第８次大会で総書記となった金正恩
写真・AFP＝時事

半島を揺るがす「トランプ・ロス」の衝撃

歴史は朝鮮半島崩壊を招く「大激震」が、二〇二一年の幕開けとともに始まったと記すことになるだろう。

二〇二一年一月二十日をもって、北朝鮮・金正恩委員長の「唯一の友人」だったアメリカ大統領のドナルド・トランプが退任し、ジョー・バイデン新大統領が就任した。トランプの落選により、「トランプ・ロス」ともいうべき失望が、金正恩の内心を襲っている。

二〇二〇年十一月三日に行われた米大統領選の大勢は数日のうちに判明していたが、北朝鮮はこの日から半年が過ぎても、トランプ敗北を国内で報じなかった。報道の自由や言論の自由のない北朝鮮の報道機関は、朝鮮労働党の宣伝扇動部が許可した内容しか報じることができない。そのため、「トランプ落選」についてはこの間、党が報道を許可しなかったということになる。

「噂の街」である平壌では、「トランプ落選」は報道に先んじて人々の間で噂として瞬時に広まった。携帯電話を持つ人々に、中国からもたらされた情報だ。それでも当局が正式に報道しなかった事実は、それほどまでにトランプの落選が金正恩にとって大きな衝撃であったことを物語る。

「トランプ落選」が北朝鮮国内で報じられなかったのには、二つの理由がある。

一つは、「金正恩の見込み違い」を露呈しかねないからである。北朝鮮の指導者には、判断間違いがあってはならない。これまで、朝鮮労働党機関紙の「労働新聞」などの北朝鮮メディアは、金正恩とトランプの首脳会談を大々的に報じ、写真も大きく載せていた。二〇一九年の板門店会談を、新聞は〈(米朝間の) 前例のない信頼を創造した驚くべき事変〉とまで報じていた。その相手であるトランプの落選は、指導者の判断間違いを意味する。金正恩のメンツをつぶし、権威を失わせることにつながる。みんなが忘れるまで無視、放置するしかない、との判断が働いた。

もう一つは、北朝鮮国民の間に「権力者は民衆の力で変えることができる」との思いが広がっては困るからだ。「金王朝統治」という体制を揺るがしかねない考えは、徹底して抑える必要がある。そうした思惑から、「トランプ落選」を報じないよう、関係機関に命じていたのである。

罵倒が友情に変わったトランプ―金正恩の関係

二〇一七年一月にトランプ政権が発足した当初、北朝鮮は核実験やミサイル発射を繰り返し、アメリカは北朝鮮に対して「最大限の圧力」をかけると宣言する強硬姿勢を取った。二〇一七年四月にシリアに対して行った空爆も、「北朝鮮に対するメッセージである」旨をトランプは明言した。

この時は、訪米した中国の習近平主席との晩餐会を中座して、シリア空爆を命じ、習主席に「北朝鮮爆撃の決意」を強調する演出をしたのだ。

二〇一七年六月二日には、国連安全保障理事会が全会一致で「対北朝鮮制裁強化」を可決。トランプは北朝鮮が核開発やミサイル発射などの挑発を続ければ「世界が見たこともない炎と怒りに遭わせる」と警告した。これに対し北朝鮮は水爆実験を実施、「すわ米朝戦争か」との空気が醸成される中で、金正恩とトランプは互いに「老いぼれ老人」「チビのロケットマン」と罵《のの》り合う舌戦を繰り広げた。

だが、一転して二〇一八年六月十二日、史上初の米朝首脳会談をシンガポールで行うと、両者の距離は世界が驚くほどに縮まった。二〇一九年二月末にベトナム・ハノイで会談、さらには同年六月末に朝鮮半島の南北を分ける板門店《パンムンジョム》で、軍事境界線を手を取り合って越えて見せるに至るまでの「友好」関係を国際社会に知らしめた。二〇一八年の会談以降、トランプ退任までに送り合った親書も実に三十通を超えている。

この経緯や言葉の裏にあった互いの真意については第二章で詳しく見るが、トランプは最初こそツイッターで金正恩をこれでもかと罵倒して見せたが、ある意味では二人は「言葉の戦争」を楽しんだといえる。首脳会談の実現も「口撃合戦」の成果だったといえるだろう。互いに罵倒し合ううちに、相手を理解し、親近感を覚えたようだ。

金正恩は、アメリカ大統領から「友達」と呼ばれた最初の北朝鮮指導者となった。

想像を絶する金正恩の「孤独」

金正恩は、国際社会への先導役をトランプに期待していた。国際政治のプレイヤーとしてはとりわけ孤独な金正恩に、他に友人と呼べる外国の首脳はいない。

祖父の金日成は、中国の指導者を友人とした。中国語も話せたし、ソ連の指導者や幹部ともロシア語で会話した。父親の金正日《キム・ジョンイル》は、金正恩と同じく外国首脳に友人はいなかったが、今ほど強大ではなかった中国の指導者は、北朝鮮を「同じ社会主義を信奉する隣国」として大事にしてくれた。一九九〇年代まではなお中国と旧ソ連が対立しており、事情に応じてどちらか一方を支持して経済支援を得る「振り子外交」が効力を発揮していた。「振り子外交」はわたしが創出した理論である。

だが金正恩には、祖父と父親の恩恵はない。習近平もプーチンも、明らかに金正恩を見下した態度で接している。例えば二〇一九年の朝露首脳会談で、金正恩はプーチンに朝鮮刀を贈ったが、プーチンは「ロシアでは武器を贈るのは縁起が悪いので、あなたから買ったことにしよう」と金正恩にコインを渡している。

この際、対応に焦る金正恩の様子がカメラに映されてしまった。もし本当に縁起が悪いのだとしても、面と向かって金正恩のメンツをつぶさずとも済むはずだが、プーチンは金正恩を見下しているからこそこうした対応を取ったのだろう。

こうした蔑視は北朝鮮の指導者にとって我慢ならないことだが、経済力もなく、通常兵力にも乏しい北朝鮮は、かろうじて核兵器を持つことでその威信を保っていた。

その状況下で、金正恩と対等に付き合うトランプは金正恩にとって一つの光明だった。

トランプは欧米社会では「嘘つき」「詐欺師」「ポピュリスト」「レイシスト」などと散々に批判されたが、米朝首脳会談を実現するなど、北朝鮮政策においては他の政権にはない〝功績〟を遺したといえる。

トランプは、確かに口は悪かったが、北朝鮮の指導者に「朝鮮人差別」を全く感じさせることがなかったのだ。はっきりものを言う朝鮮人の言語文化と、大喧嘩した後で握手を求める、〝人たらしの手腕〟を持つ「不動産業者トランプ」の波長は、ぴったり合っていた。

これまで北朝鮮はアメリカを「米帝」などと批難してきたが、トランプほど、北朝鮮の指導者が置かれた立場を理解した大統領はいなかった。また、歴代のアメリカ大統領の中で、北朝鮮の扱い方を最もよく知っていた。それだけに、トランプの落選で「親友」を失った金正恩の孤独感は、想像を絶する。

金正恩、苦悩の末の「党大会演説」

数か月もの間、トランプ落選を正式に報じることを許さなかった金正恩だが、二〇二一年一月五日からの朝鮮労働党大会では、米国の新大統領であるバイデンにメッセージを送らなければならない現実に直面した。金正恩は相当、頭を悩ませたことだろう。こうした金正恩の苦悩を念頭に、党大会演説を読むと非常に興味深い。

トランプとの米朝首脳会談について、金正恩は次のように述べている。

〈党中央委員会は、朝米間の力学関係を劇的に変化させ、国家の尊厳と威信を立派に誇示した。敵対的な朝米関係史上、初めて開かれた両国最高首脳の直接会談だった。強い自主的意思を持ち、新たな朝米関係樹立を確約する共同宣言をまとめた〉

〈超大国に対して、自主的利益と平和、正義を守る共和国（北朝鮮）の戦略的地位を満天下に示した。数回の朝米首脳会談は世界政治史の特大の出来事であった〉

本来、米朝首脳会談は北朝鮮外交史に燦然と輝く特筆すべき業績のはずだ。だが右のように、やや控えめな表現にとどまった。北朝鮮の表現文化においては、これでも「控えめ」なのだ。

演説の冒頭から高らかにトランプとの首脳会談の成果を謳い上げてもいいくらいだが、演説の中ほどで触れられた程度だった。落選したトランプを持ち上げることで、バイデン新大統領の機嫌を損ねたくないという配慮もあった。

それでも駆け引きのため、新兵器の開発や配備にも言及。「原子力潜水艦の設計や大陸間弾道弾の能力向上、巡航ミサイルや潜水艦の改造」などに触れた。兵器開発や新技術は軍事機密なので、普通は公表しない。それをあえて公表しているのは、「アメリカと対話をしたい」という北朝鮮側の意図の表れだ。脅しておいて、和解の手を差し出すのは、北朝鮮のいつものやり口だ。だがバイデンには届かなかった。

金正恩は、対米外交についてこうも述べている。

〈対外政治活動は、我が革命発展の基本障害物、最大の宿敵である米国を制圧して屈服させることに焦点を合わせて行われるべきだ〉

一見するとアメリカと軍事衝突も辞さないかのような調子だが、よく読んでいただきたい。金正恩はアメリカについて「軍事的宿敵だ」とは言っていない。あくまでも「対外政治活動」において、アメリカが障害になっていると述べるにとどまっている。「宿敵」という言葉で脅してはいるが、軍事行動に出るつもりはない、と示してもいる。

また、この表現にはアメリカを「宿敵」と言わないと、軍人や党幹部、国民が納得しないという背景がある。国家団結の崩壊を防ぐために使う、演説の「常套句」である。

演説では、バイデン政権の誕生にも、こっそり触れた。

〈米国で誰が執権しようと、米国の実態と対朝鮮政策の本心は、絶対に変わらない〉

アメリカの大統領であるトランプと「親密な」手紙を交わしたとは思えない「宣言」だが、これを言わなければ体制が維持できないという事情がある。北朝鮮は、〝米帝国主義〟が朝鮮戦争を開始し、祖国を分断したという「政治的フィクション」によって国家と体制を維持している。そのため、アメリカという敵の存在がなければ「米帝国主義に対抗する」という国家目標を維持できないのだ。

北朝鮮の体制を維持するのは、指導者へ忠誠を誓う「主体思想《チュチェ》」と、朝鮮人民軍、秘密警察と工作機関である。そして米帝国主義の脅威が、朝鮮人民軍、ひいては「朝鮮民主主義人民共和国」の存在理由となっている。ここがわからないと、北朝鮮がなぜ、日本からすれば驚くような脅し文句を使うのか、国民を飢えさせてまで核やミサイル開発に邁進するのかが理解できなくなる。また、それがわかれば北朝鮮が死んでも核廃棄には応じないこともわかるだろう。だがアメリカはこれを理解できない。

行間からにじみ出る「アメリカと交渉したい」という本音

演説では、次の部分も注目に値する。

〈不法非道に狂奔する敵対勢力と強権を振りかざす大国に、強対強で対抗する〉

「敵対勢力」とは、日米韓を指す。「強権を振りかざす大国」は複数表現を使っており、中国のほか、ロシアも含まれるとみられる。あいまいな表現にして、仮に中露に文句を言われても「日本を意味する」と逃げられる余地を残す。なかなかのユーモアだ。

その上で、アメリカに対してこう呼びかけた。

〈新たな朝米関係の鍵は、米国の対朝鮮敵視政策の撤回にある。今後も強対強、善対善の原則で米国を相手にする〉

何のことはない。要するにアメリカとの交渉の意思があることを示している。善意で来るならこちらもそれなりの対応をする、というものだが、アメリカは対北朝鮮敵視政策をすでに否定している。アメリカと交渉再開するときは、国内向けに「相手が交渉をお願いしてきた」と発表するのが北朝鮮のいつもの戦術なので、その地ならしをしているのだろう。さらに演説では米国の関心を引く〝ダメ押し〟表現まで見せている。

〈責任ある核保有国として、侵略的な敵対勢力が我が方を狙って核を使用しない限り、核兵器を濫用しない〉

これも言葉遊びの一種で、「先制攻撃はしない」とは言わないが、相手の出方次第だとアメリカを交渉に誘っているのである。

金正恩はバイデン新政権を刺激しないよう、かなり気を使って言葉を選んだようだ。その行間からは、「米朝首脳会談をしたい」との思いがにじみ出ている。

だが、トランプとは違い、核やミサイル、さらには人権状況の改善なしに、バイデンが金正恩の「ラブコール」に応えることはないだろう。

韓国・文在寅とは絶交状態

「親友を失った、孤独の金正恩」と聞いて、はてと思う読者もいるかもしれない。金正恩には、従北、親北の文在寅・韓国大統領がいるではないか、と。確かに、北朝鮮に対してはもっぱら融和的な「太陽政策」を取り、「南北統一」まで口にする文在寅は、金正恩の「友人」にはなり得ないのだろうか、との疑問が浮かんでもおかしくはない。

だが答えは「否」である。序章で紹介したトランプ前大統領の言葉を思い出してほしい。「金正恩は文在寅に敬意を払わない」のだ。

南北朝鮮の二人の指導者は、「友人」どころか、現在絶交状態にある。文在寅がいくら対話や支援を提案しても、金正恩が拒絶しているのだ。

二〇一七年の就任以来、文在寅は歴史的偉業である米朝会談を取り持ち、南北関係の前進を国際社会や自国民に印象付けようと必死だった。実際に、金正恩とトランプとの歴史的な米朝会談の写真撮影の間に割って入り、存在感を示そうと画策してもいた。

だが金正恩は、二〇一九年二月の米朝首脳会談後、文在寅が何を言っても完全に無視している。金正恩の妹で、二〇一八年の平昌《ピョンチャン》冬季五輪時に韓国を訪れ、「北朝鮮のプリンセス」よろしく歓待を受けた金与正《キム・ヨジョン》も、二〇二〇年三月には、韓国大統領府を「三歳の子供と変わらない態度」と非難して見せたほどだ。当然、金与正の発言は、金正恩の本心を代弁するものである。

なぜ、金正恩はこうも文在寅を拒絶するのだろうか。実は金正恩は、「米朝会談前のやり取りで、文在寅に騙された」ことに腹を立て、裏切られたと感じ、激怒。断絶状態に至ったというのである。

ことの発端は、二〇一九年のハノイ会談にあった。

二〇一九年二月、金正恩はトランプとの二回目の首脳会談のため、ベトナムのハノイに向かった。一度目は中国の旅客機を借りたが、二度目は飛行機ではなく、専用列車で三日かけて、平壌《ピョンヤン》から中国大陸を経て、ハノイまでの四千五百キロを移動した。

金正恩は、米朝会談に先立ち、専用列車内から文在寅大統領に三度、国際電話を入れている。ここで文在寅に騙された、というのだ。

ハノイ行きの列車からの通話は、中国と米国の情報機関に盗聴されていた。もちろん北朝鮮側も防諜システムや機材は用意していたが、簡単に破られてしまった。そのため、アメリカの情報機関は盗聴を通じて、米朝会談時の北朝鮮側の提案内容と交渉戦略を、事前に入手することに成功した。

当然のことながら、金正恩から文在寅にかけた国際電話の内容も、米中情報機関はすべて傍受していたのだ。

その内容とはどんなものか。

「文在寅に騙された、あいつは敵の手先だ！」

金正恩は、文在寅にこう聞いたという。

「寧辺の核施設一か所を完全に破壊するという提案で、トランプは満足するか」

金正恩は、核施設の破棄と引き換えに、自国への経済制裁を緩和してもらう算段だった。

すると、文在寅はこう答えたという。

「大丈夫だ。間違いない」

だが、当時のジョン・ボルトン米大統領補佐官は、「経済制裁の解除には、寧辺に加え、もう数か所の核施設の破棄を求める」と公言していた。アメリカは、寧辺プラスアルファを要求しているのではないか。判断がつかなかったのか、金正恩は繰り返し電話し、文在寅に尋ねた。

「本当に寧辺だけで大丈夫なのか」

文在寅はさらにこう答えた。

「大丈夫だ。我が方の担当者と米国の情報提供者が、間違いないと言っている」

この「情報提供者」は、ボルトン補佐官が嫌がったスティーブン・ビーガン国務副長官とされる。

金正恩のところにも「寧辺だけでは足りないのではないか」との情報が上がってきていたようだ。しかし一方で、北朝鮮軍部は「破棄は寧辺のみ」との立場を譲らなかった。軍部の意向を考えれば、寧辺だけで済むならそれに越したことはない。

米朝会談の場で、金正恩は文在寅の回答を信じ、「寧辺の核施設をすべて破壊する」と提案した。結果は惨憺たるものだった。トランプは「それでは足りない。別の核施設も追加してほしい。私はあと五か所の核施設の詳細を知っている」と迫った。

金正恩は「これ以上の核施設の破壊には応じられない」と譲らなかった。するとトランプは「では交渉は終わりだ」と席を立った。金正恩は、代替案を用意していなかったのである。会談が失敗に終わった瞬間、金正恩は「訳がわからない」との表情で呆然自失の様子だった、とホワイトハウス関係者は証言している。

「文在寅に騙された――」

そうした思いが、金正恩の心に広がっていたことだろう。

平壌とハノイを往復する列車内の会話を手に入れていた米諜報機関によれば、金正恩は文在寅に「米国の真意」を尋ねる場面はあったものの、おおむね「制裁解除」への期待にあふれた会話がなされ、和やかな雰囲気が支配していたという。

だが帰りの列車は、まるで通夜のような静けさの中に、金正恩の怒りの声だけが響き渡っていたという。高官たちは責任追及を恐れ、声も出せなかった。報告を受けたトランプが「金正恩は大丈夫なのか」と気遣ったほどだった。

文在寅から何度も電話がかかってきたが、拒否し、回線を変えた。

「あいつが騙した。敵の手先だ」

金正恩の怒りは収まらなかったという。

北朝鮮と金正恩を激怒させた文在寅演説の中身とは

この時の文在寅の「助言」が全く役に立たなかったどころか、北朝鮮のメンツも命運もつぶしかかったことに、金正恩は怒り心頭、関係断絶に至ったのだが、北朝鮮の文在寅不信の理由はこれだけではない。

ハノイ首脳会談から六か月後の二〇一九年八月十五日、文在寅は「光復節」の記念演説を行った。

「光復節」は日本からの独立を祝う式典で、北朝鮮でも祝日に当たる。ただ、北朝鮮は「朝鮮独立は金日成主席が日本帝国主義との交戦で勝利したから実現した」と考えるため、特別な式典などは行わない。

一方、韓国には「日本と戦って独立を勝ち取った」という国家としての正統性がないのだが、日本で玉音放送が流れた八月十五日を記念日として大統領が演説を行うのが恒例となっている。

この年の記念演説で、文在寅は「二〇三二年の五輪南北共同開催」と「二〇四五年の南北統一」を呼び掛けた。「二〇四五年」は「光復」、つまり日本からの独立から百年の節目に当たる。

「二〇四五年の光復（＝解放）百年の節目には平和と統一で一つになった国、『ワンコリア』に向けて礎を整備する。統一すれば、世界経済六位圏の国、国民所得七万〜八万ドル時代が開かれる」

文在寅は、意気揚々とこう語ったのである。

第五章でも詳述するが、日本で「左派」「革新派」「進歩派」と評される文在寅は、マルクス・レーニン主義者という意味の左翼ではない。北朝鮮を尊重し、経済制裁などの「北風政策」を嫌う「金日成主義思慕者」としての左翼である。わたしは「金日成主義韓国左翼」と説明している。その文在寅にとって、「南北統一」以上の夢はない。

だが、この文在寅演説に、金正恩は激怒した。韓国を担当する「祖国平和統一委員会」は、演説翌日の十六日、演説内容を批判するとともに「南朝鮮（韓国）当局とこれ以上話し合うことはない」との声明文を発表した。もちろん、金正恩が命じたものである。なぜ金正恩は激怒したのか。北朝鮮についての基礎知識を欠く文在寅には理解できなかったようだ。

北が激怒した理由は二つある。

一つは、文演説のあった八月十五日は、八月五日から行われていた米韓合同軍事演習のさなかだったことだ。

北朝鮮は声明で「文在寅は八月五日から北朝鮮攻撃のための米韓合同軍事演習を展開

しているのに、そのさなかに『平和』だとか『統一』だとかに言及するのは、二枚舌だ」と非難している。そもそも、北朝鮮は八月二十日から国会に当たる最高人民会議を予定していたこともあり、そうした時期に軍事演習をするのも「意図的だ」と非難した。

この非難の背後には、北朝鮮軍部の不満がある。北朝鮮軍部は一貫して米韓合同軍事演習の中止を求めてきた。相手が演習を行えば、たとえそれがあくまで演習だとしても、北朝鮮側も相応の対応をしなければならない。万が一とはいえ、軍事演習がそのまま戦争に発展した場合、対処のしようがないからだ。

経済制裁で苦しい台所事情を強いられている中で、軍を動かせばさらなる費用や燃料がかかり、北朝鮮軍の体力は削がれる。そのため、北朝鮮はかねて米韓合同軍事演習の中止を求めてきた。二章でも詳述するように、二〇一八年のシンガポール会談でも金正恩はトランプに軍事演習中止を求めている。

そうした事情を知っているはずの文在寅が、一方で演習を実施しながら、一方で「統一」「五輪の南北共同開催」を口にするのは、北朝鮮にとっては「融和的な文言で安心させながら、一方で我々を軍事攻撃し、韓国主導の統一に持ち込むための戦争挑発ではないか」と文在寅の下心を疑ったのである。

金正恩激怒のもう一つの理由は、「二〇四五年南北統一」の言葉そのものにある。北朝鮮の統一戦略は、あくまでも「北朝鮮が南朝鮮（韓国）を統一する」というものだ。韓国が北朝鮮の体制や思想を受け入れ、「金正恩総書記」を南北統一の指導者にする、というものである。これは北朝鮮の国家存立の基本である「南朝鮮での革命による統一」を志向したものであり、それ以外のシナリオは認めない。

にもかかわらず、文在寅は北朝鮮の「経済成長」を謳い、「韓国が北朝鮮を吸収する統一」を思わせる表現に言及した。「金日成主義思慕者」にあるまじき失態である。北朝鮮から見た文在寅のやるべきことは「南朝鮮革命戦略」への協力であるにもかかわらず、まるでことの本質がわかっていない。金正恩はこれに怒り、文在寅に失望した。

文在寅は当初、なぜ北朝鮮がここまで怒り、自分を拒絶するのか、全く理解できていなかったようだ。だがさすがの文在寅も、二〇二〇年の光復節演説では「二〇四五年統一」に全く触れなかったので、金正恩の拒絶がよほど堪《こた》えたに違いない。

金正恩の妹・金与正が南北連絡所を爆破した理由

だが金正恩が文在寅に向けた拒絶の意思表明はこれだけでは済まなかった。二〇二〇年六月十六日、北朝鮮が軍事境界線沿いにある開城《ケソン》の「南北共同連絡事務所」を爆破し、その映像を放映したのだ。

一体、何が原因だったのか。ここにも、「文在寅のハノイでの裏切り」が暗い影を落としているが、さらに金正恩を悩ませる事態が進行していた。

二〇二〇年五月三十一日、韓国の脱北者団体「自由北朝鮮運動連合」が、大型風船二十個に、北朝鮮の体制を批判するビラ五十万枚や、USBメモリ、数千枚の一ドル紙幣を括《くく》りつけて北朝鮮に飛ばした。こうしたビラは、日本人にとってはまるで戦中の「降伏勧告ビラ」のような前時代的なものに思えるが、噂以外の情報が遮断されている北朝鮮では、体制を揺るがしかねない行為であるとして危険視されている。

そのため、金正恩の妹である金与正が、党第一副部長として韓国に対し「(金正恩)非難ビラの配布を中止せよ」とする激しい口調の談話を発表した。

その内容は苛烈を極め、「南朝鮮当局があらゆる言い訳を尽くし現状を放置すれば、大きな代償を払わざるを得なくなる」と警告し、脱北者らを「祖国を裏切った、人間のクズ」「ゴミのような雑種犬」と攻撃した。

その上で「飼い主（韓国政府）に責任を取らせる時が来た」と宣言した。「悪意に満ちた行為が『表現の自由』の美名の下に放置されれば、南朝鮮当局は最悪の局面を見ることになる」と述べ、敵対行為を禁じた南北合意の破棄や、開城工業団地の完全撤去に言及し「南朝鮮当局は覚悟せよ」と、開城工業団地建物の爆破を予告したのである。

韓国には、ビラの配布を取り締まる法律はなかった。北朝鮮の人権侵害への告発は取り締まるべきものではない、表現の自由、北朝鮮人民の知る権利を保障すべきだという意見もある。法整備が必要だという意見に対しては、韓国国内で「自由民主主義国としてあるまじき行為」との反対の声も大きかった。

だが有効な措置に踏み切らない韓国に業を煮やした北朝鮮は六月五日、金与正が対韓国担当の責任者である、と初めて確認し、南北共同連絡事務所の撤廃を表明した。

さらに金与正は六月十三日に、朝鮮中央通信を通じ、談話を発表した。

談話は「南朝鮮当局との関係を断絶する潮時がきた」と述べ、「ゴミはゴミ箱に捨てられる」と警告、「敵との関係を担当する部署に、断固として次の行動を実行するように指示した」と伝え、こう締めくくった。

「近い将来、無用な北南共同連絡事務所が形もなく崩れる悲惨な光景を見るだろう」

つまり、爆破を予告したのである。

この日は、金大中《キム・デジュン》大統領と金正日総書記の初の首脳会談が開かれた記念日だ。もちろんそれを狙っての発表である。

「恥知らず」「ゴミども」「おぞましい」と文在寅を罵倒

これに対し、文在寅はそれでもまだ何ら対処できずにいた。それどころか、北朝鮮の怒りの火に油を注いでしまう。文在寅は、金大中と金正日による南北首脳合意二十周年に当たる六月十五日に演説したが、その中で北朝鮮を刺激する表現を使ったのである。

「期待したほど北米関係（米朝首脳会談）と南北関係の進展がない」

「朝鮮半島は、南北の意思だけでは動きません。国際社会の同意が必要です」

北朝鮮にすれば、米朝首脳会談失敗の責は文在寅にあるのに、「進展がない」とは何事だ、ということになる。「火に油」以外の何物でもない。

また「国際社会の同意」はすなわち「アメリカの同意」を意味するので、韓国はやはりアメリカの属国、文在寅は傀儡政権だ、と非難を浴びかねない表現だ。案の定、北朝鮮の怒りの炎は燃え上がった。

こうした点に、文在寅は気がつかなかったのか。

さらに、文在寅は「北朝鮮へのビラ配布を中止させる」と言わなかった。これで、北朝鮮の文在寅への信頼は完全に失われてしまったのである。

そして予告通り、六月十六日に南北連絡所が爆破されたのだ。

翌十七日、金与正が次のような極めて強い口調の談話を発表した。

〈(文在寅演説は) 恥知らずで厚かましい内容だ。根強い (米国への) 事大主義で胸がムカつく〉

〈ゴミどもが犯した反共和国ビラ散布への処置は、グズグズ解決する問題ではない〉

そして最後はこう締めくくっている。

〈演壇やカメラ、マイクの前に出ればまるで子供のように、天真爛漫で希望あふれる夢のような話ばかり吐き出し、全く自分がうまく行っているようなふり、正義のふり、原則に沿っているふりをして、平和の使徒のような鼻持ちならない振る舞いだ。

その姿を一人で観るに耐えず、人民にも知らせてやろうと、私が言葉の爆弾を爆発させたのである。

とにかく今は南朝鮮当局者が、何もできないままに追い出された。今後、南朝鮮当局者たちができることは、後悔と嘆きだけである。

信義を裏切ったことで、どれだけ高価な代償を払うことになるのか、南朝鮮当局者は流れる時間の中で強い痛みとともに感じることだろう〉

金与正の文在寅についての表現は、よくできているというしかない。

痛いところを突かれた北朝鮮の「怒り」が爆発

それまでの文在寅に対する怒りに、さらに輪をかけて非礼を働かれ、怒り心頭であることはわかる。だが、それにしてもここまで品の悪い表現で怒るほどのことなのか。発端は、たかが「ビラ」なのである。

金与正の反応からは、むしろ「金正恩非難ビラ」が一定の効力を発揮していることが読み取れる。都市部や農村部に落ちたビラの内容が噂となって人民の間に広まっているのだろう。

また、金正恩統治に対する国民の不満が高まっている、との判断もできる。実際、平壌からはそうした情報も伝わってくる。長引く国連の経済制裁で、国民の生活は疲弊し、不満が高まっているとの話が、訪朝した在日朝鮮人を通じて耳に入るようになった。

当局は国民に金正恩への「忠誠」を誓わせているが、国民の「忠誠心」がビラで揺るぎかねない状況があるとすれば、これは体制にとって死活問題だ。

政府高官や軍人が指導者に「忠誠競争」をするのは、北朝鮮でも韓国でも共通する朝鮮半島の儒教政治の伝統だ。特に北朝鮮では「金正恩絶対死守」がスローガンであり、忠誠心が篤いとされた幹部が出世する。実力ではない。どんなに能力が高くとも、忠誠心がないと見られれば追放される。

金与正の声明に、こんなくだりがある。

〈我々が神聖視するものの中でも、一番の中心核である最高の尊厳、我々の委員長同志

をあえて冒瀆し、同時に我々全人民を愚弄する天下の妄動を、（文在寅は）ためらいなく強行した〉

このように、北朝鮮では金正恩を「最高尊厳」と呼ぶ。誰も「金正恩」と呼び捨てにできないばかりか、「金正恩総書記」と呼ぶこともできない。名前を直接呼んではいけないため、金正恩のことを北朝鮮国内では「最高尊厳」と称するのである。

北朝鮮国内では、仮に金正恩を誹謗中傷する人物がいれば、逮捕拘束は当然で、ひどければ政治犯収容所に送られる。こうした人物を見逃せば、「指導者への忠誠心」を疑われ、見逃した人もただでは済まない。最高尊厳への不敬罪は、死を意味するのだ。

北朝鮮のこうした状況は、日本やアメリカはもちろん、韓国からしても理解不能であろう。自由民主主義の基本は「言論の自由」と「権力者批判の自由」にあるからだ。

だが、こっぴどく叱られうろたえた文在寅政権は、二〇二〇年末、「ビラ禁止法」を成立させた。ビラの配布は「北を刺激し平和の障害になる」とし、北朝鮮の金正恩政権を批判するビラを、風船などに括りつけて軍事境界線の北側に送ることを禁じ、違反すれば懲役三年以下か、罰金三千万ウォン（約二百九十万円）が科せられるという。

さすがにこの「ビラ禁止法」に対しては、米議会や国連なども非難を強めている。何より、リベラル派、進歩派といわれる文在寅に人権意識が欠乏していることが米国に広く知られると同時に、北朝鮮が文在寅を許すわけがない理由をも露呈することになった。

これでは金正恩と文在寅の関係修復は、まず不可能だ。

バイデンは半島外交をどう取り仕切るのか

さて、「トランプ・ロス」に陥り、南北は絶縁状態となっている外交を、金正恩はバイデン新大統領との間でどう取り仕切るつもりなのだろうか。

バイデンは二〇二一年二月四日、カマラ・ハリス副大統領を伴い、米国務省を訪ねた。国務省職員に演説し、バイデン外交について「米国は戻ってきた。民主主義が戻ってきた」と述べ、「人権と民主主義」を外交の柱にすると宣言した。

トランプ外交は、民主主義と人権を無視した、との認識から、その撤回を明言したのだ。宣言通り、バイデン政権発足直後に起きた、ミャンマーのクーデターにも、米当局は厳しい制裁を科した。

またバイデンは、「米国の同盟国との関係は、素晴らしい財産である」と強調した。これは、日本との同盟強化を意味し、日韓関係の改善を文在寅に求める政策だ。

実はこの演説の直前に、バイデンは文在寅と電話会談していたのだが、北朝鮮問題には触れなかった。一方、ブリンケン国務長官は、「トランプ大統領の北朝鮮政策を全面的に見直している」と明らかにしている。これは、トランプ政権の外交記録を詳細に検討し、金正恩総書記との間で何が約束されたか、調査していることを意味しており、その作業が二〇二一年五月二日までに完了したと発表した。

トランプ政権下における対北外交で、文在寅がアメリカに何を伝え、どうふるまってきたかも明らかになるだろう。それがわかるまでは、文在寅とは北朝鮮問題について話ができなかったのかもしれない。米韓首脳会談が二〇二一年五月二十一日に行われると発表されたのは、同年四月二十九日のことだった。

「戦略的忍耐」戦略を捨てたバイデン政権

バイデンはオバマ政権で副大統領を務めた。そのため、北朝鮮政策もオバマ政権の路線を踏襲するのではないかという見方もある。だがバイデン政権の北朝鮮政策について、サリバン大統領補佐官は「オバマ政権の戦略的忍耐は、失敗した」と語り、同じ外交はしないと明言した。

「戦略的忍耐」は、北朝鮮が核放棄を約束しない限り、対話に応じない戦略だった。当時、アメリカは制裁を強化すれば北朝鮮は譲歩すると考えた。また、プライドの高い北朝鮮は、国際社会の「無視」に耐えられない、と考えた。

しかし、国連で制裁決議を可決しても、中国やロシアが北朝鮮に石油や食糧を送り出す闇ビジネスを放置したため、制裁の抜け穴が存在し、制裁は強化されなかった。さらにはこの間、北朝鮮は核実験とミサイル発射を繰り返した。「戦略的忍耐」は、むしろ北朝鮮の核兵器開発を推進した、とさえ批判された。

当初「米朝首脳会談はしない」と明言していたブリンケン国務長官は、最近になって「核放棄が明確に事前に約束されない首脳会談はしない」と、やや言葉を変えている。

バイデンは、トップダウンで政策を決めるよりも、高官との論議により政策をまとめる「調整型」で、トランプのような独断専行は行わない。

バイデンは、トランプ氏の米朝首脳会談を「テレビ映りのためのパフォーマンス外交」と批判していた。第二章でも詳しく見るが、トランプ政権の安全保障担当のボルトン大統領補佐官が退任後に書いた『ジョン・ボルトン回顧録』（朝日新聞出版）からも、そうした「トランプのパフォーマンスとしての米朝会談」であったフシはうかがえる。トランプ流は金正恩には好評だったが、バイデン政権ではそうはいかない。

バイデン外交は、中国対策とロシア外交が最優先だ。さらに、欧州のドイツとフランスとの同盟関係改善という課題もある。ミャンマーではクーデターも発生している。国内政治もコロナ対応などがあり、まだ落ち着いていない。そのため、見直し作業は終えたものの、北朝鮮問題には二〇二一年の前半は本格的には取り組めない。北朝鮮は二〇二一年三月二十四日、ミサイルを発射したが、この間、北朝鮮が核実験や長距離ミサイル実験を再開すれば、米朝関係は最悪の状態にまで落ち込むだろう。

バイデンは金正恩を無視、半島崩壊が近付く

金正恩は、トランプのおかげで「米朝首脳会談」ができるまでに引き上げた外交レベ

ルを、今後も維持することは難しくなった。バイデンが「米朝首脳会談はしない」と明言している以上、従来の高官レベルの外交に後退することは避けられない。文在寅は米朝の間に立ち、「シンガポール会談形式の米朝首脳会談」をアメリカに提案しているが、「調整された現実的外交」を掲げるバイデンは見向きもしない。

それはバイデンが、中身のない、形式だけの米朝首脳会談で北朝鮮の時間稼ぎに付き合うつもりがないことに加え、文在寅が米朝の指導者に信頼されていないからだ。米朝間を取り持てるのは自分しかいない、との自負が文在寅にはあるが、両国からは「二〇二二年の韓国大統領選のためのパフォーマンスに過ぎない」と見破られているのである。二〇一九年六月の板門店での米朝会談の際も、同行した文在寅は集まったメディアに「トランプ・文在寅・金正恩」のスリーショットを撮影させようと必死だったが、二人からすげなく断られている。

アメリカの朝鮮問題専門家である、スタンフォード大講師のダニエル・スナイダーは、バイデン政権の誕生で北朝鮮と中国は危機に瀕すると予測する。スナイダー氏の祖父は、米韓関係が悪化した朴正煕政権末期の駐韓米大使、リチャード・スナイダーだ。

ダニエル・スナイダーは、北朝鮮について、折からの新型コロナの影響に加え、「見世物型」の米朝会談を演出したトランプの退場、南北の「絶交」状態、中国からの明確な支援も見込めないというすべての問題が、二〇二一年以降、金正恩に降りかかるとして「金正恩政権は、自らの将来、そして国の将来についても、かつてなかったほどに不確かな状態で十年目を迎えることになりそうだ」と評する。

二〇二一年、半島崩壊への足音が聞こえはじめた。

第二章　トランプの退場

2018年6月、首脳会談に臨んだ米朝首脳（シンガポール）
写真・AFP＝時事

政治体制の違いが国際政治の軋轢を生む

アメリカの大統領選挙は、四年に一度、十一月第一火曜日に行われる。この投票日は、およそ百八十年前の一八四五年に法律によって定められた。日本では江戸幕府が健在で、ペリー提督が来たのはこの八年後のことである。

アメリカはイギリスを追われた信仰心の篤い清教徒（ピューリタン）たちが建国した国であるため、日曜日を投票にすると教会に行くことができない。田舎に住む農民が都市部にある投票所へ行くには、広いアメリカでは丸一日以上かかる。そのため、投票日が日曜ではなく火曜になった。「第一火曜日投票」制度には、アメリカの文化と歴史という背景がある。

国際政治の舞台では、文化と歴史の違いが対立を生む。トランプ大統領の登場で「自由民主主義」が危機に瀕したと盛んにいわれたが、アメリカは投票法制定当時も今も、やはり自由民主主義の国家である。

自らを「五千年の歴史」と誇る朝鮮半島は、北は全体主義で、南は全体主義的民主主義だ。中でも、文在寅政権は「反日全体主義」だ。南北ともに儒教文化の伝統を色濃く残す。朝鮮儒教の政治文化は、全体主義的性格を有する。こうした政治体制の違いは、外交の場面でも軋轢を生じる。第一章でも述べたように、ロシアや中国といった比較的「友好」とされる国から、「上から目線」で接せられる北朝鮮は、プライドを傷つけられ、常に不満を感じている。

トランプの前任者であるバラク・オバマ大統領の北朝鮮政策は「戦略的忍耐」だった。北朝鮮が核放棄に応じない限り、相手にしないという方針だった。その代わり、核実験やミサイル実験に対しては、国連安保理による制裁を科して、北朝鮮が音を上げるまで〝忍耐強く〟待つ、というものだった。

「戦略的忍耐」は、ブッシュ（父）政権の「ドイツ統一、ソ連崩壊で北朝鮮を後回しにした」政策、クリントン政権の「対話のための対話を繰り返すだけだった」方針、そしてブッシュ（子）政権の「北朝鮮を『悪の枢軸』と認定し、軍事行動をも辞さないと明言した」のに、政権末期に譲歩した失敗を反省したうえで立案されたものだった。

その骨子は、「北朝鮮は世界で最もプライドの高い人たちだから、無視されるのを嫌う。だから『忍耐』の名の下に挑発やミサイル発射に対しても無視していれば交渉に乗ってくる」とするものだった。

だが、北朝鮮は核実験を繰り返した。二〇一六年一月に四回目の核実験を行うと、オバマ政権は「北朝鮮制裁及び政策強化法」を議会で可決させ、制裁を強化した。この時、中国は「北朝鮮経済に深刻な打撃を与える」としてアメリカの方針を批判した。

さらに北朝鮮は二〇一六年九月にも、五回目の核実験を行った。オバマは「北朝鮮を核保有国とは認めない」との声明を出した。「戦略的忍耐」では、北朝鮮の非核化の実現どころか、核実験を止めることすらできなかったのである。

北朝鮮の人々が「最もプライドの高い人たち」であるという認識は正しかったが、北朝鮮が「干上がるまで待つ」という方針は、アメリカだけでなく国際社会を挙げて世界が一緒になって北朝鮮を無視しなければ効果はなかった。アメリカが無視しても中露が北朝鮮を相手にしたために、この方針は奏功しなかったのである。

結果、「戦略的忍耐」方針は、北朝鮮に核開発の時間を与えたに過ぎなかった、と批判されるに至った。

「不動産王」トランプの対北朝鮮政策

では、トランプは対北朝鮮外交をどう見ていたのだろうか。

各国が北朝鮮を見下し、「異形の国」とみなす中で、トランプのようにある意味同じ目線で北朝鮮と「舌戦」を繰り広げ、しまいには「親友」になる相手は、北朝鮮にとって稀有な存在だった。そうした姿勢は、まさに「トランプ流」というほかないだろう。

トランプは共和党の大統領候補となることがほぼ確定した二〇一六年五月十七日、金正恩についてロイター通信のインタビューにこう答えている。

「彼（金正恩）と話してみたい。彼と話すことに全く異存はない。同時に中国に圧力をかける。アメリカは経済的に中国に巨大な力を持っている。みんなこれに気づいていない。中国は我々から数十億ドルを引き出している。数十億ドルだ。中国は朝鮮問題を一回の会合や、一度の電話で解決できる」

トランプは、実際に交渉相手に会ってからの「人たらし」の術には自信があったのだろう。人に会ってみなければ仕事にならない、という不動産業者・トランプ流の外交の片鱗が早くも見えている。

アメリカの大統領候補が、北朝鮮の指導者に会うと断言したのはこれが初めてのことだった。大統領経験者でいえば、ジミー・カーター元大統領が一九九四年六月に個人の立場で訪朝し、金日成と会談したことがある。

この時、米朝は核開発凍結と、核査察を北朝鮮が受け入れることで合意した。訪朝費用は、金日成にカーターとの会談を助言していた日本財団の笹川陽平会長が負担した。金日成はカーターとの会談直後の一九九四年七月に急死した。後継者の金正日は核を放棄するつもりはなく、核開発凍結を破棄して開発を再開した。カーター・金日成会談の合意は幻に終わったのである。

現役の大統領として初めて「北朝鮮の指導者と会う」と断言し、二〇一八年に実行したトランプだが、先のインタビューの時点では最有力の共和党大統領候補ではあっても、あくまでもその実は「不動産業者」である。インタビュー内容からは、トランプは、大きな思い違いをしていたことも読み取れる。「中国は北朝鮮に対して強大な影響力を持っていて、コントロールし、押さえつけたりできるに違いない」という思い込みだ。

だが、むしろ中国は全く言うことを聞かない北朝鮮に手を焼いており、北朝鮮が「なぜ中国は核を保有しているのに、我々が保有してはいけないのか」と反論してくるため、すっかり北朝鮮との論争に疲れ果てていたのである。

このころのトランプは朝鮮問題、中朝関係について何も知らなかった。その理由の一つが、共和党のブッシュ（子）政権で働いた専門家の多くが、ヒラリー・クリントンが当選すると見て、トランプ陣営に参加しなかったことにある。トランプの国際政治への理解はまだ浅く、北朝鮮は中国の言うことを聞くと考えていたのである。

北朝鮮の五回目の核実験後の二〇一六年九月には、トランプはこう述べている。

「北朝鮮が大規模な核実験を行った。北朝鮮の言動はアメリカに敵対的であり、危険だ。北朝鮮への（韓国の）融和政策はうまくいかない」

「北朝鮮はならず者国家であり、中国にとっての脅威であり懸念である。中国の問題解決の試みはうまくいっていない」

四か月の間に、少し朝鮮問題への理解が深まった感がある。当初、トランプ自身も「仮に共和党の大統領候補になっても、当選するとは思っていなかった」ようだとの関係者の証言がある。大統領候補となり、慌てて国際問題を学んだのだろう。

トランプVS金正恩、国際政治史上に残る「舌戦」の記録

そのトランプは二〇一六年十一月八日の大統領選挙で「想定外」の勝利をおさめ、二〇一七年一月二十日、大統領に就任した。就任後のトランプは、北朝鮮や朝鮮半島問題をどのように理解したのだろうか。

表面では、トランプと金正恩は「舌戦」を繰り広げた。ありったけの悪口を言い合い、国際社会は「すわ戦争か」とその経緯を不安げに見つめていたが、にもかかわらず二〇一八年六月、史上初の米朝首脳会談を実現した。直前まで罵《のの》り合っていた二人の、一転しての初の米朝会談実現に、世界は沸いた。

一体、この間に何が起きていたのか。大統領としての公式コメントやホワイトハウス発表ではなく、ツイッターを介して展開していく二人の「舌戦」は、史上初であり、おそらく最後になるだろう。その意味で、二人のやり取りを、背景情報を押さえながら解説することには、米朝外交史上、大きな意味がある。

また、北朝鮮は「言葉の戦争」で中ソの大国と対等に渡り合ってきた経験を持つ。言葉の使い方は巧妙であり、公式文書を読む際には「北朝鮮公式声明の『読み方』」を知

る必要がある。知らずにそのまま読むと、誤った解釈で世論を煽る結果になりかねない。

そうした視点に基づき、「舌戦」から「首脳会談」までの経過を改めて追ってみたい。

二人の「舌戦」は、トランプ就任前の二〇一七年一月一日から始まった。

金正恩「ICBM（大陸間弾道弾）開発は、しめくくり段階にある」（新年の辞、テレビ放映）

先に仕掛けたのは金正恩だった。トランプ就任直前のこの時期にアメリカを射程内に収めるICBMの開発に触れた金正恩だが、実はこの文言はアメリカやトランプに対する挑発ではなく、「もう少し待ってくれ。核実験はやめるから」との意向を伝えたつもりだったことが読み取れる。

この時期、金正恩は軍と党の首脳部に「核兵器完成を宣言し、核実験を中止する。それを条件にアメリカと交渉し、国連で演説して制裁解除を勝ち取る」との戦略を語っていた。北朝鮮首脳部につながる人物の証言だ。

「しめくくり段階にある」との文言は、そうした背景を知ったうえで分析すべきだった。だがトランプは、金正恩の意図するところを理解できなかった。むしろ「北朝鮮を核保有国として認めろ」と要求されたと分析したのだろう。そのため、二〇一七年一月二日、ツイッターで次のように金正恩発言の〝お相手〟をした。

トランプ「北朝鮮はつい先ほど、アメリカの一部に到達する核兵器開発の最終段階に入っている、と発表した。（だが）そうはならない」

トランプが二〇一七年一月二十日に第四十五代アメリカ合衆国大統領に就任すると、続いて北朝鮮は二〇一七年二月十二日、三月六日に弾道ミサイル発射実験を実施。「そうはならない」と冷やかしたトランプに、金正恩が反発した構図になった。

党宣伝機関とツイッターを使った応酬

さらに北朝鮮は二〇一七年七月四日、アメリカの独立記念日である祝日に、ＩＣＢＭ「火星十四号」の発射実験に初めて成功。米国防総省は当日のうちに「北朝鮮のＩＣＢＭ発射を強く非難する」と発表した。

発射二時間後、トランプもツイッターで発信した。

トランプ「この男（金正恩）は人生でもっと他にやることはないのか。韓国と日本は、

もはや我慢ならないだろう。おそらく中国は、北朝鮮にもっと強い行動に出て、このくだらない行為をはっきり終わらせるだろう」、

金正恩はこの「ほかにやることはないのか」との言葉に反発し、朝鮮中央放送を使って「返事」した。

金正恩「米国は私からの独立記念日のプレゼントが気に入らないだろうが、退屈しのぎに今後も大小のプレゼントを頻繁に送り続けてやろう」

そして七月二十八日にも、ＩＣＢＭ発射実験の成功を報じた。

金正恩「北朝鮮のミサイルが、米全土を射程にとらえることを証明した」

この時期、米情報当局は、このミサイル実験に関連して「北朝鮮が小型の核弾頭製造に成功した」との分析を大統領であるトランプに伝えていた。それまで、米国の専門家は「小型化できなければミサイルに搭載できない。その技術は北朝鮮にはない」としていたので、「北朝鮮の核開発は、日韓などの同盟国への影響はあっても、アメリカにとっては恐るるに足らず」としてきた従来の前提が覆ったことになる。

それを踏まえて考えると、八月八日に発したトランプの次のツイッターの意味合いも

変わってくるのではないか。

トランプ「北朝鮮は、アメリカにこれ以上、脅しをかけない方がいい。世界がこれまで見たことのないような、炎と怒りを見ることになるだろう。彼（金正恩）は極めて威嚇的で、常軌を逸している」

トランプの舌戦を象徴する「炎と怒り（fire and fury）」発言だ。この印象的なフレーズは、トランプ政権の内幕を描いたマイケル・ウォルフの書籍タイトル（『炎と怒り』、早川書房）にも使われている。

この発言に、ワシントンの新聞記者はもちろん、国防総省、連邦議会議員らは、トランプが北朝鮮との戦争を考えているとして批判を浴びせた。米CNNテレビは識者のコメントとして「米朝ともに、経験不足で衝動的な指導者が、軍の指揮権を握っている」と危機感を持って報じたが、これがワシントンの空気だった。

ホワイトハウスのケリーアン・コンウェイ大統領顧問は「大統領の、力強く明白な発言」とコメント。ジョン・J・サリバン国務副長官は「北朝鮮が（核放棄の）条件を受け入れなければ、アメリカは対応しない」との公式見解を発表した。

「宣戦布告」か「戦争回避」か、北朝鮮的表現を読み取れ

「炎と怒り」とのトランプの表現に、金正恩も戦争の危機を感じたようだ。北朝鮮軍部に対応するように命じ、八月八日、朝鮮人民軍報道官が声明を発表した。

「朝鮮人民戦略軍はグアム周辺地域を、中長距離弾道ミサイル『火星十二号』で、包囲射撃する作戦計画を慎重に検討している。作戦計画は、近く司令部に報告される」

この報道に、日米韓三国は大騒ぎとなった。「北朝鮮がグアムにミサイルを撃ち込むと宣言している」と受け止めたからだ。

だがこれは、北朝鮮報道の読み方を知らない各国の報道機関による早とちりだった。

朝鮮人民軍報道官の声明を読み解いてみよう。まず、報道官は「グアムを攻撃する」とは言っていない。「グアム周辺地域を包囲射撃する」としたまでだ。これはグアムを標的にしているのではなく、その逆で「グアムを攻撃目標から外している」ことを伝えようとしている。「周辺地域」とは海上を意味し、「グアム方向にある海域にミサイルを落下させる」と解釈すべきだ。

また、「作戦計画」を「慎重に検討」していると述べているだけで、すぐに攻撃に移

すとは言っていない。しかも、「作戦計画」が「近く司令部に報告」されるというのだから、まだ最高司令官である金正恩のもとにはこの計画は届いていないことを意味している。この文章の背景には、むしろ決して戦争をしたくない北朝鮮の思いがにじみ出ている。トランプの脅しが相当効いたのだろう。

このころの金正恩は「核兵器完成宣言をして、米朝交渉に持ち込む」ための核開発に懸命だった。「完成宣言」が必要だったのは、そうしなければ国内の抵抗勢力である軍と労働党の長老・元老を説得できないからだ。彼らは「核兵器の完成が、金日成主席と金正日総書記のお言葉です」と迫る。軍部は、核兵器の完成なしに米朝交渉に臨むことを「米国の圧力に屈した」ととらえ、北朝鮮国内でクーデターを起こしかねない。

北朝鮮の声明や報道は、単に字面を追うだけではなく、こうした複雑な国内事情を知ったうえで、その独特の表現や言い回しを読み解く必要がある。

北朝鮮発表におびえる日本、小躍りする北の関係者

朝鮮中央通信は、人民軍報道官の声明発表から二日後の八月十日、戦略軍司令官の金《キム・》

洛兼《チクキョン》将軍の談話を報じた。

「『火星十二号』ロケットは、日本の島根、広島、高知各県の上空を飛び、三千三百五十六キロを飛翔したのち、グアムから三十～四十キロ離れた海面に着弾する」

「この発射計画を八月半ばまでに完成させ、金正恩委員長に報告し、承認を得る」

「（トランプは）『炎と怒り』について多くの意味不明な言葉を発している。理性に欠けた人物との健全な対話は可能ではない。絶対的な力だけが影響を与える」

後半の挑発的な表現に騙されずにきちんと読めば、この談話も「グアムには撃たない」「周辺海域に落とす」と明確に〝予告〟している。そのうえ「これから金正恩に報告する」というのである。やはりどうしても戦争は避けたい北朝鮮である。

ところが日本では、「島根、広島、高知」などと具体的な名前が出たことで大騒ぎになった。北朝鮮とグアム周辺の線上には確かに島根や高知があり、その「上空」を通過しなければ目的地には到達しない。だが冷静に考えれば、「上空」といってもほぼ成層圏の高度であり、しかもミサイルは発射時が一番不安定なので、飛翔すれば途中で落下することはない。具体名が出たとはいえ、島根、広島、高知にミサイルが落下する可能性は限りなくゼロに等しい。

この文章を書いた人物も、そのことを十分理解しているはずで、日本を脅かすためにわざわざ固有名詞を入れたのである。狙い通り日本が大騒ぎしたので、担当者は大喜びしたことだろう。

だが、トランプも軍報道官発表、戦略軍司令官の金洛兼の談話を「グアムに打ち込むつもりだ」と受け取り、こうツイートしている。

トランプ「グアムに何かすれば、誰もかつて見たことがないことが、北朝鮮で起きるだろう。北朝鮮に『やれるものならやってみろ』と言っているわけではない。アメリカの対応を言っただけだ」

この発言は、トランプにしてはやや弱気である。アメリカはこの間、中国に「北朝鮮に自制するよう働きかけろ」と求めていた。北朝鮮の発信を受けて、「本当にグアムにミサイルを打ち込まれたら大変なことになる」と考えていたのだろう。一方、北朝鮮も中国やロシアが止めに入ることを期待していた。

金正恩は八月十四日、戦略司令部を訪問し、こう述べたと報じられた。

金正恩「米帝は軍事的対決妄動をしたために、自分で自分の首に縄を巻き付けてしまった。悲惨な運命に陥った、愚かで間抜けなヤンキー（アメリカ）の行動をもう少し見守る。我々をこれ以上、怒らせないことだ」

このコメントは本意がわかりづらいが、要するに「グアム（周辺）へのミサイル発射計画は実施しない」ことを示している。超訳すれば「今回のところはこれくらいにしておいてやろう」という捨て台詞だ。

金正恩は中国から「トランプは本気だから、いい加減にした方がいい」と諫められた、との情報もある。これはトランプにとっても思い通りの展開だが、北朝鮮にとっても渡りに船だった。金正恩は、おそらく軍や党の幹部に「中国がやめてくれと泣きついてきたから、メンツを立ててあげよう」と言って、矛を収めるふりをしたのだろう。「中国がお願いしてきたというなら仕方がない」と、軍や党の幹部も納得するというわけだ。

すると、八月十六日にトランプもこう応じた。

トランプ「北朝鮮の金正恩は、とても賢く理にかなった決断をした。そうでなければ、壊滅的で容認できない事態になるところだった」（ツイッター）

トランプも金正恩も、戦争するつもりは全くなかったのである。にもかかわらず、言葉の応酬による芝居を打って見せた。どちらもなかなかの役者といえるだろう。

精一杯の虚勢を張った金正恩

日本も地名を名指しされて慌てただけではなく、一枚噛んでいた。トランプは日米首脳会談で安倍晋三首相から「北朝鮮には戦争する能力がない。戦争を継続するだけの石油がないからだ」との説明を受けていた。ただし「軍事オプション発言は排除しない方がいい」「圧力をかければ必ず譲歩する」とのアドバイスも得ていた。

その一方で、安倍は国内では北朝鮮から「上空を通過する」と名指しされた島根・広島・高知などにミサイル迎撃システムPAC3を配備し、警戒レベルを高めていた。

金正恩側もトランプから「炎と怒り」という過激な表現で核施設への軍事攻撃の可能性をほのめかされていたのだから、内心、不安だっただろう。引き下がれば軍幹部や党指導部から「やはり指導者の器ではない」と見られることは間違いない。そのため精一杯の虚勢を張ったが、日米韓の一部が大騒ぎしてくれたことでハッタリが生きたことになる。

いつもの北朝鮮なら、「アメリカが膝をかがめてお願いしてきたから、様子を見てやろう」というところだが、トランプは言質を与えなかった。二人の役者の「舌戦」で高まった危機が、去ったかに思われた。

「ロケットマン」「老いぼれの耄碌《もうろく》ジジイ」、舌戦極まる

ところが二〇一七年九月三日、北朝鮮は突如「ＩＣＢＭに搭載する水爆実験に成功した」と発表した。六度目の核実験、しかも威力の強い水素爆弾を使っての実験に及んだというのである。金正恩はこう述べた。

金正恩「部品はすべて国産だ。強力な核兵器を好きなだけ作ることができる」

当然、トランプも黙っていない。同日、ツイッターでこう反応した。

トランプ「彼らはアメリカに極めて敵対的で、危険だ」

北朝鮮の発表を受けて、トランプは各国の指導者と電話会談した。中でも中国の習近平には「間違いなく、北朝鮮の核施設を爆撃する。北朝鮮が二〇一七年末までに核兵器

開発を中止しなければ、軍事攻撃だ。必ずやる。嘘ではないと金正恩に伝えてほしい」と明言したという。

トランプは二〇一七年四月、米中首脳会談の夕食の席で、習近平に対し「いま、シリアを爆撃した」と耳元で囁いて相手を驚かせている。

後にFOXビジネスニュースのインタビューでトランプはその時のことをあけすけに語り、「習近平は十秒、黙り込んだ」と述べている。そのトランプが「北朝鮮の核施設を間違いなく爆撃する、と金正恩に伝えてくれ」と述べたのだ。さらにシリア爆撃が「北朝鮮へのメッセージ」であることを、トランプは公言していた。これには習近平もトランプ発言を考慮せざるを得なかったようだ。

さらにトランプは、九月三日にホワイトハウスでも談話を述べた。

トランプ「習近平主席は何か行動を起こそうとしている。どうなるか見守りたい。アメリカは、北朝鮮で現在起きていることを容認しない」

「北朝鮮、金正恩を何とかしろ」との中国への牽制球である。

続いてトランプは、九月十九日の国連総会でも金正恩を挑発した。

トランプ「ロケットマン（金正恩）は、自殺行為をしている。自分と自分の体制を自爆させようとしている」

「一部の国が貿易だけでなく、武器を提供し、財政支援をしている。憤りを感じる」

「米国と同盟国の防衛を迫られれば、北朝鮮を完全に破壊せざるを得ない」

これに対し、金正恩は二日後の九月二十一日、激しくトランプを罵倒した。

金正恩「トランプが私と国の存在を否定、侮辱し、我が国を破壊すると宣戦布告してきた。それに相応する過去最高の超強力な対応措置を考慮する」

「トランプは、前代未聞の非道で横暴なキチガイじみたラッパを吹いた。トランプは政治家ではなく火遊びを好むならず者で、ゴロツキだ。言いたいことばかり言う、気が狂った老いぼれの耄碌《もうろく》ジジイには、行動で示すのが最善の方法だ」

日本語に訳すと「ここまで言うか」というくらいの罵倒表現だが、朝鮮語にはもっと激しい表現があるため、これでもまだ抑えている方である。

「老いぼれの耄碌ジジイ」の部分で北朝鮮が使った英文は「deranged dotard」というものだったが、「dotard（老いぼれ）」はシェークスピア時代（十六世紀末）の英単語で、大時代的であり、現代ではほとんど使われない。米国メディアは、北朝鮮の英単語力に驚くと同時に、「〝dotard〟はトランプについての正しい表現だ」というジョークも報じた。

米朝の舌戦にロシアも参戦

翌九月二十二日、トランプも負けじと〝口撃〟した。

トランプ「金正恩は国民を飢えさせ、殺すことを何とも思わないほどの狂った男だ。かつてないほどの試練に直面する」（ツイッター）

念のため指摘しておくが、この半年後にトランプと金正恩は米朝会談に合意する。国際政治の舞台では、政治家の言葉を真に受けてはいけない。特に朝鮮問題では「言葉と本心は一致しないことがある」と知っておくべきだろう。

この米朝トップの〝舌戦〟に、ロシアも割り込んだ。九月二十二日にロシアのラブロフ外相が国連で記者会見し、「幼稚園児の喧嘩のような感情的な方法ではなく、理性的なやり方が大切だ。頭を冷やし、立ち止まり、何らかの接触をする必要がある」と述べた。国家のトップを捕まえて「幼稚園児の喧嘩」とはかなり過激な揶揄だ。トランプが国連演説で「一部の国が貿易や武器で北朝鮮を支援している」と発言したのを、ロシア（と中国）への非難と受け止めてのことだろう。むろん、ラブロフは金正恩が戦争に及ぶとは思っていない。

ちなみにこのころ日本では、北朝鮮のミサイル発射を警告する「Ｊアラート」が鳴動し、電車が止まるなどしたことで一部から非難の声が上がっていた。また、「Ｊアラート」と連動した避難訓練」が各地で行われ、防災頭巾をかぶって身をかがめる子供たちの姿が報じられた。これも「まるで戦時中」などと非難する向きがあった。

北朝鮮が突如発表した「核戦力の完成」声明の背景

少し時間をおいて、ようやく中国も表立って米朝の間に入ることになった。二〇一七年十一月九日、トランプは中国を訪問し、習近平との米朝首脳会談を行った。

この首脳会談で、習近平はトランプに「金正恩個人を〝口撃〟しないように」と忠告した。北朝鮮の政治文化では、指導者に対する非難に対しては、部下による暗殺や攻撃など何らかの反応を必ず行うからだ。

公式会見でトランプは「国際社会全体で北朝鮮の脅威に立ち向かわなければならない。残された時間は少ない。素早い対応が必要だ。中国が一層の、迅速かつ効果的な措置を取るように望んでいる」と脅しをかけた。

習近平も「米中両国は国連安保理の制裁決議について、全面的で厳格な履行を続ける。同時に、交渉と対話を通じて、北朝鮮の核問題の解決に力を尽くす。米中両国は、継続して意思疎通と協力を続ける」と応じた。

ところが北朝鮮は十一月二十九日、重大発表としてICBM発射実験の成功を報じ、金正恩の談話が発表された。

金正恩「ついに国家核武力の完成という、歴史的大偉業、ロケット大国建設の偉業を実現した。責任ある核保有国として、平和を愛する国として、世界平和の高貴な目的に尽くすため、あらゆる努力をする」

金正恩は、当初からの目標だった「核戦力の完成」を宣言したのである。国際社会は大きなショックを受けたが、実はこの発表は挑発的な宣言のようで、実際の目的は別のところにある。建前の裏にある、「これでようやく、北朝鮮の軍・党の幹部を説得し、抑え込める」という意図を読み取らねばならない。

どういうことか。トランプの反応を追いつつ見てみよう。

トランプは同日、即座に反応し、ミズーリ州での演説でこう述べた。

トランプ「チビのロケットマン、彼は病んだ子犬だ。北朝鮮だろうが、誰だろうが、我が国を守る。軍隊を増強し、ここで飛行機や船を造る」

さらにアメリカは、緊急の安全保障理事会を招集した。すべての国連加盟国に北朝鮮との断交を求めたが、常任理事国である中国とロシアが「北朝鮮の人道的状況を考慮すべき」と反対した。

北朝鮮が水爆実験をし、核戦力を完成させたとなれば、一大事である。しかも、アメリカを射程に収めるＩＣＢＭもあるとなれば、同盟国だけでなく、アメリカ本土の防衛を真剣に考えなければならない。だから国連安保理を招集したのだが、その一方でトランプの反応はそれほど驚いた様子もなく、「チビのロケットマン」「病んだ子犬」と金正恩を憐れんで見せた。

これは一体、どういう理由なのか。おそらくトランプは、金正恩が「核戦力完成」と発表した本当の意味を理解していたのではないだろうか。

つまり、金正恩は中国の習近平から、「トランプが『二〇一七年末までに核開発をやめなければ、必ず核施設を軍事攻撃する』と言っているぞ」と忠告を受けた。そのため、むしろ期限を切られた格好になり、核実験とミサイル開発を急いだ。

経済制裁は北朝鮮経済を締め付けており、金正恩としては制裁解除を求めるためアメリカとの交渉に臨みたい。だが、核実験継続中の交渉は望めない。だからといって、交渉のために核実験を停止することは、北朝鮮国内の長老たちが許さない。そこで、長老たちの悲願である「核戦力完成」の発表を急いだ。金正恩としても核戦力が完成すれば、軍幹部と老人たちに何か言われることなく、アメリカとの交渉に臨めるというわけだ。

核戦力が完成した以上、もう核実験は不要になる。おそらくトランプも、前者よりも後者の意味を重く受け止めたのではないか。中国から、北朝鮮の実情に対する何らかの情報やメッセージが来ていたのかもしれない。

「俺の核ボタンの方がデカい」――舌戦の水面下で進んでいた交渉

トランプと金正恩、二人の〝舌戦〟が始まってから、一年が経った二〇一八年一月一日、金正恩は「新年の辞」の演説で、同年に韓国・平昌で行われる冬季五輪に参加する意向を示したうえで、こう述べた。

金正恩「米国本土全域が、我が国の核攻撃の射程圏内にある。核のボタンが、わたしの執務室の机の上にいつも置かれているというのは、脅迫ではなく事実であることを自覚すべきだ。

核兵器やミサイルの大量生産を加速させる。我々は元に戻すことのできない戦争抑止力を保有することになった。米国は、我々を相手に戦争を仕掛けることはできない」

すると、トランプは翌一月二日、こう反撃した。

トランプ「北朝鮮の指導者の金正恩が『核のボタンはいつでも私の机の上にある』などと発言した。金正恩の、痩せて飢えている政権の誰でもいいが、金正恩に伝えてほしい。私も核のボタンを持っているが、金正恩のものよりはるかにデカく、より強力で、いつでも押せる状態だ、と」

「お前の核ボタンより、俺の核ボタンの方が大きい」とは、漫才のやり取りのようである。さらにトランプは続けた。

トランプ「制裁措置とその他の圧力が、北朝鮮に大きな影響を与え始めている。兵士は危険を冒して韓国に逃げている。ついにロケットマンは初めて韓国との対話を求めている。ひょっとしたらいいニュースかもしれない。そうでないかもしれない。そのうちわかる」

なにか、新たな展開をにおわせるような物言いだ。

実はこの時、トランプには中国と韓国の双方から情報が届いていた。〝舌戦〟の水面下で、南北朝鮮が秘密接触を行っていることをアメリカは知っていたのである。それをツイッターで「におわせて」しまうのだから、トランプもすごい。

現に、こうした応酬の一週間後に当たる二〇一八年一月九日、板門店で南北の高位級会談が行われ、北朝鮮が二月の平昌五輪に参加することで正式に合意した。平昌五輪には北朝鮮から金正恩の妹・金与正が開会式に参加し、韓国内で大きな話題となった。日本でも、北朝鮮の美女軍団とともに金与正を追いかける報道が相次いだ。

　だが二〇二〇年には、金与正が文在寅を「哀れな老いぼれ犬」とバカにした上、南北共同連絡事業所を爆破することになるのだから、目まぐるしく潮目の変わる朝鮮半島の情勢からは目が離せない。

「核ボタンは常に机の上にある」「俺の核ボタンの方がデカくて強い」

　こうした応酬を展開した三か月後、トランプと金正恩は初めての米朝首脳会談に合意することになる。

　罵り合いからの米朝首脳会談への流れは、「急展開」だったように見える。だが、実際にはトランプも金正恩も、表には出ない情報を持っており、それをもとに判断した戦略や隠れた思惑を抱きながら、相手への発信を行っていたことを忘れてはならない。

　そう考えると、やはり北朝鮮の「国家核戦略完成」宣言は、国内の抵抗勢力を抑え、「非核化」に向けて動き出す金正恩の勝利宣言だったと見るのが正しい解釈だろう。

　ただし、北朝鮮が考える「非核化」とは、将来の核実験と核開発を中断するという意味で、核兵器を完全に廃棄するとの意味ではない。同じ「非核化」でも、アメリカは

「過去も未来もすべて清算し、核を廃棄する」ことを指す。

現にアメリカは、二〇〇三年の北朝鮮のＮＴＰ（核拡散防止条約）脱退を機に始まった六か国会議でも核廃棄を求め続けた。「完全かつ検証可能で不可逆的な非核化」（ＣＶＩＤ）を求めることが、アメリカの基本姿勢となっていた。

だが北朝鮮にとっての「非核化」はあくまでも「過去は問わない。これからは核実験を行わない」というもので、その意図するところはすれ違っている。

トランプはそのすれ違いを知っていたのか、あるいは非核化できずとも、自身が迎える二〇一八年十一月の中間選挙に向けてアピールできる「派手なイベント」としての米朝会談に魅せられていたのか。いずれにしろ金正恩の戦略に乗せられた格好のトランプは、シンガポール会談へと突き進んでいく。

そして二人は「親友」となるわけだが、結末を知りながら経過を追うと、金正恩の「国家核戦略完成」宣言は、確かに米朝首脳会談実現につながったが、同時に首脳会談での失態にもつながる道だったことがわかるのだ。失態とはつまり、第一章で述べた通り、二〇一九年のハノイでの米朝会談は、韓国・文在寅の嘘によってご破算になったことを指す。

トランプを相手にギリギリのチキンレースのような〝舌戦〟を展開し、国内の不満分子を抑え込んでようやくたどり着いた米朝会談での失敗。金正恩の怒りはいかに大きなものだったか。金正恩が嘘を自信満々に伝えてきた文在寅と絶縁状態になるのも、無理はない。

罵倒と舌戦の応酬から一転、米朝会談へ

二〇一七年十一月末、「国家核武力の完成」を宣言した金正恩の北朝鮮は、平昌五輪後の二〇一八年四月二十一日、「核実験と大陸間弾道ミサイルの実験中止」を発表した。二十日の党中央委員会総会で、金正恩が次のように報告し、了承を得たという。

「国家核兵力が完成した。これ以上の実験は不要だ。いかなる核実験も、中長距離ミサイル、大陸間弾道ミサイルなどの発射実験も、二十一日以降は中止する」

さらにこう付け加えた。

「経済発展と朝鮮半島の平和を追求する。社会主義経済の進展に全精力を集中する」

これは、四月二十七日の板門店での南北首脳会談と、六月十二日に実現したシンガポールでの米朝首脳会談を前にした駆け引きだった。

こうした状況下で、トランプ政権はジョン・ボルトンを国家安全保障問題担当の大統領補佐官に任命している。ボルトンはブッシュ政権で軍備管理や安全保障を担当する国務次官として、北朝鮮との六か国協議や、イランの核開発問題などを担当した。

〝対北強硬派〟として知られ、かつては北朝鮮から「人間のクズ」と名指しで非難されたこともある。北朝鮮と激しく対立した信念の高官だ。トランプ政権下でも北朝鮮から嫌われながら、就任以降、約一年半後の二〇一九年九月に退任するまで、米朝外交に深くコミットしていた。

退任後に『ジョン・ボルトン回顧録』（朝日新聞出版）を出版しており、米朝外交の裏側や、韓国・文在寅に対するトランプやアメリカの本音を綴っている。その『ジョン・ボルトン回顧録』の内容を突き合わせながら、トランプと金正恩の〝蜜月〟とハノイでの米朝会談における〝交渉決裂〟までの流れを追っていきたい。この著書は米情報機関による秘密情報は一切明かしていないが、行間でにおわせている。

そもそも米朝首脳会談は、誰が言い出し、持ち掛けたことなのか。シンガポールでの初の米朝会談までの流れを見てみよう。

米朝会談を仕掛けたのは誰か――ボルトンの懸念

韓国大統領府の国家安保室長・鄭義溶《チョン・ウィヨン》は二〇一八年三月五日に訪朝し、南北首脳会談に合意した。三日後の三月八日、鄭義溶はアメリカに飛び、トランプと面会してこう述べた。

「金正恩総書記が、米朝首脳会談を提案しています」

トランプはこれを聞いて「受ける」と即答したという。

だが、ボルトンは「米朝首脳会談は金正恩からの提案ではなく、鄭義溶が勝手に『金正恩からの提案』と話を作ったのではないか」と指摘する。そのうえで、金正恩には「トランプが米朝首脳会談を提案している」と述べ、両者の言質を取り、米朝首脳会談を演出したのではないかと見ている。これは、朝鮮半島の高官がよく使う「仲介者」の手口である。金日成もこの手口で中ソの指導者を動かし、朝鮮戦争の同意を得ている。

確かに、北朝鮮の外交手口として、先に自分から頭を下げて「米朝会談をしませんか」と提案したり、お願いしたりする方法はとらない。相手に提案させ、自分は「そこまで言うなら受けてやる」との態度を取ることで、主導権を握ろうとするのが常道だ。鄭義溶の発言は、こうした基本戦略から外れるもので、ボルトンが疑うのも無理はない。

ボルトン説の可能性が高いことを裏付ける事実もある。鄭義溶はワシントン訪問後に北京に飛び、習近平と会見している。その席で、「米朝首脳会談の実現は習近平主席のおかげです」と感謝の意を表明しているのだ。これは、金正恩が米朝首脳会談を受け入れたのは、習近平の働きかけであることを示す。

実際のところ、どういうやり取りがあったのか。鄭義溶が金正恩に伝えた内容を記録と報道を突き合わせて考えると、おそらく次のような内容になるだろう。

「北朝鮮の指導者が非核化への強い決意を表明した、とトランプに伝えた。金正恩が『今後は核、ミサイル実験は控える』と約束し、『米韓合同軍事演習には理解を示す』と言っていること、トランプにできるだけ早く会いたいとの意欲を示したことを伝えたところ、トランプは金正恩に会うと言っている」

つまり、金正恩はトランプに首脳会談の「提案」をしたのではなく、「会う意向」を示したに過ぎない。言葉を変えれば「会う用意がある」と言ったまでだ。トランプも「会う」と言っただけで、自ら提案はしていない。そこで習近平の出番となり、二人の間を取り持った格好になった。

つまり、米朝のどちらも積極的に首脳会談を「提案」はしていない。韓国の鄭義溶が勝手にトランプに「金正恩からの提案です」と話を作り、習近平が間を取り持った格好にさせた、というわけだ。これに対するボルトンの怒りは深い。

〈皮肉なことに鄭はのちに、米朝首脳会談はそもそも自分が金に勧めたと認めている！あの外交上の愚行はすべて、韓国が仕組んだものだった。米朝双方の重要な戦略以上に、韓国の〝統一政策〟に重きが置かれていたのだ〉

〈米朝首脳会談は危険で無意味な見世物に過ぎないと私には思われた〉

ボルトンは実のない米朝会談によって、トランプが国益を損なうような約束を金正恩とその場のノリで交わすことを極端に恐れていたのである。

だが、米朝首脳会談は六月中旬に行われることで日程が組まれていく。

さらにボルトンは、二〇一八年四月二十七日に行われた板門店での南北首脳会談後に文在寅がアメリカ政府にもたらした情報に疑問を持った。

「北朝鮮は、一年以内に非核化すると言っている」「完全な非核化を約束した」

文在寅は自信満々、〈興奮冷めやらぬ口調で〉アメリカにこう報告したというが、ボルトンは全く信じていなかった。

〈米朝首脳会談を板門店で開くこと、それに続いて直ちに米朝韓の三国首脳会談を持つことを、文は強く主張した。これには、首脳会談直後の写真撮影に加わりたいという文の思惑が大きく働いていた〉とボルトンは手厳しい。

その後、シンガポールでの米朝首脳会談までの間にトランプは安倍とも電話で話しているが、その内容についてボルトンは〈(安倍の説明は) 文の楽観的すぎる見通しとは対照的だった〉と評している。

そして首脳会談前に、北朝鮮に人質として捕らわれていたアメリカ人三名がポンペオ国務長官によって連れ帰られたり、首脳会談前の駆け引きで金正恩の側近が米国側との打ち合わせの場に現れなかったり、トランプが「あっちが会談を見限る前に、こっちから見限りたい」と言い出すなど紆余曲折はあったが、ついに二〇一八年六月十二日、シンガポールでの米朝首脳会談が実現したのである。

米朝会談実現――シンガポールで確かめ合った米朝「国内の敵」

「nice to meet you, Mr. President」（大統領、お会いできて嬉しいです）

歴史的な会談は、金正恩からトランプへの英語のあいさつで始まった。トランプは、どちらが先に声をかけるべきかで悩んでいたが、最初に年下の金正恩が英語で話しかけたことで、二人は打ち解けた。

そして会談は冒頭四十分、通訳は交えたもののトランプと金正恩二人だけで行われることになる。さらにホテル内を散策しながら、他の閣僚や高官に聞かせたくない本音を語り合った。一体、何を話したのか。

それは、会談場所を部屋に移して、報道陣らがカメラを向ける中で両者が口にした発言から推測できる。まずトランプが先に発言し、金正恩が続いた。

トランプ「本当に素晴らしい気分だ。私たちはこれから素晴らしい議論をして、大い

なる成功を収めるだろう。栄誉あることであり、素晴らしい関係を築けると確信している」

金正恩「ここまで来るのは容易ではなかった。私たちの足を引っ張る過去があり、誤った偏見と慣行が私たちの目と耳をふさぐこともあったが、そのすべてを乗り越えてここまで来た」

これを聞いてトランプも「その通りだ」と応じ、再度握手した。

この金正恩発言は相当な意味を持つが、重要性に気づいたメディアはほとんどなかった。単なる社交辞令と受け取ったのだろう。だが金正恩は、会談終了時にも再び「ここまで来るのは容易ではなかった」と、どこかホッとした表情で漏らしている。二度も口にしたのだから、よほど「容易」ではなかったのだ。

これは単に米朝の歴史や核交渉の経緯について述べているのではない。北朝鮮の内情を併せて考えると、その意図がわかる。つまり、「抵抗勢力からの反対に遭って、あなたに会うためにここに来るのは命がけだった」ことを意味している。

北朝鮮の内部事情を勘案すれば、以下のような応酬があったことは容易に想像がつく。

漏れ伝わってくる情報を突き合わせて考えれば、確かに米朝会談実現は「容易ではなかった」。

首脳会談直前、北朝鮮では軍の首脳三人が入れ替わっている。軍幹部たちは米朝会談に強硬に反対する姿勢を保ち、「核兵器放棄に合意しないでください。非核化にも応じないでください。金日成主席と金正日総書記の遺訓を覆してはなりません」と迫った。そこで三人の軍首脳の首がすげ変わる激しい政治闘争が起きたのである。

他にも平壌では、「米帝国主義の頭目に会うとは何事だ。怒りを買って、暗殺される恐れすらある」と忠義顔で金正恩に迫る勢力がいただろう。「おびき出されて、飛行機を撃墜されたらどうするのか」という反対もあった。

金正恩が述べた「私たちの足を引っ張る過去」という言葉は、米朝対話、核交渉の歴史だけではなく、北朝鮮の国内事情を説明したものだ。そうした国内事情をトランプに理解してほしい、と訴えたのだ。

トランプも国内では批判派から袋叩きにされる。二人は国内の「抵抗や批判」という問題を抑えなければならないという共通の悩みを抱えていることを確認したのだ。トランプは就任前に、安倍晋三首相から「あなたはCNNと戦っている。私も朝日新聞と戦っている」と言われて意気投合した。

何より、アメリカは先にも述べたように、二〇一八年十一月に中間選挙を控えている。選挙戦はすでに幕を開けていた。中間選挙で勝たなければ、トランプは弾劾される恐れすらあった。なんとしても支持率を上げなければならない。

そのため、会談はアメリカの夜のニュースに間に合うよう、日本時間午前十時、つまりワシントン・ニューヨークの米東部時間午後九時、サンフランシスコなど米西部時間午後六時に始まった。アメリカのテレビはいずれも緊急生中継で大々的に報じた。

会談後の記者会見の時間も、翌朝のモーニングショーに間に合う時間に設定された。トランプにとってシンガポールでの米朝首脳会談は、「核問題の解決」よりも「中間選挙対策」だったのである。

「米韓合同軍事演習中止」で意気投合したトランプと金正恩

一方の金正恩も、当然、非核化、核放棄などには死んでも応じられない。国内の抵抗勢力を押し切って実現した米朝会談で、軍部の反対を抑えるために何らかの成果を出さなければならない。それが「米韓合同軍事演習の中止」だった。ボルトンによれば「和やかな雰囲気の中で」演習中止を求めた金正恩に、トランプは快く応じたという。

トランプはもとより、米韓合同軍事演習は「もう必要ない」と考えていた。それどころか、在韓米軍についても費用が掛かりすぎるため、不動産業者としての立場からいえば「カネの無駄」だととらえていたのだ。

トランプは、政権発足以降二〇一九年一月一日まで国防長官を務めたジェームズ・マティスから「在韓米軍は世界戦争を防止するために必要です」と説得されて一応は納得したが、「在韓米軍がいることで北朝鮮の戦争を封じられるなら、米韓合同演習はいらないだろう」という考えだった。「訓練していなければいざという時に動くことはできない」という軍の性質よりも、費用対効果が重要だというわけだ。

その意味では、金正恩の申し出はトランプにとって「渡りに船」だったのだろう。ボルトンはその時のことを次のように綴っている。

〈金へのトランプの返答は、まさしく私が恐れていたとおりの内容だった。いつも口にしていたあの、米韓合同軍事演習は挑発的で時間と金の無駄遣いだという文句を、金に向かって繰り返したのだ。トランプは言った。将官たちを私の決定に従わせよう。所詮、彼らには取引なんてできないのだ。二国間に誠意ある交渉が続いている限り、合同軍事演習は中止する、と。そして朗らかに、あなたのおかげで米国は大金を節約できると軽口をたたいた。金は満面の笑みを浮かべて耳を傾け、時に声をたてて笑った〉

金正恩は「非核化に努力する」との建前だけで、米韓合同軍事演習の中止を勝ち取った。だから満面の笑みを浮かべ、高らかに笑ったのだ。

トランプはまんまと若い金正恩にはめられた。トランプは、テレビ映えする「歴史的なビッグ・ライブショー」を演出さえできれば満足する、と足元を見られていたのである。さらに金正恩は、こんな冗談まで述べたという。

〈米国はもはや北朝鮮の脅威にさらされてはいないのだから、お互いの核のボタンの大きさを比べることもないですね〉

トランプは去り、朝鮮半島には長距離ミサイルと核が残された

さて、こうして韓国が仕掛け、金正恩がトランプを担いで演出された「ビッグショー」のその後はどうなったか。

当のトランプは有頂天だったが、米朝間の高官会談は不発に終わった。文在寅がしきりに「金正恩は非核化を明確に約束した」と繰り返したが、当然北朝鮮にそんなつもりはなかった。アメリカ国内は米韓合同軍事演習の中止をめぐって混乱し、国務長官のポンペオは七月に北朝鮮に飛び、北朝鮮側のカウンターパートの金英哲《キム・ヨンチョル》らと会合を持ったが、何の進展もなかった。それどころか、北朝鮮の報道機関から「アメリカからギャングまがいの非核化要求を一方的につきつけられた」と批判される始末だった。

意味のある進展が全くない中の二〇一八年八月、トランプは金正恩からの親書を受け取る。「近いうちに再度首脳会談をしよう」という提案に対し、トランプはツイッターでこう発信した。

トランプ「心のこもった手紙をありがとう！　近く会えるのを楽しみにしている」

そして、返答の書簡にも「近くお会いできるのを楽しみにしています」と綴った。

だが、次の米朝首脳会談が「大」のつく失敗に終わったことは、第一章に書いた通りだ。文在寅はトランプに「北朝鮮は非核化すると言っている、間違いない」と嘘を言い、金正恩には「アメリカは寧辺一か所の放棄で交渉に乗ると言っている、間違いない」と嘘を言っていたことになる。南北朝鮮の高官がよく使う「仲介者」外交の陰謀で、韓国は仲介者面していいように相手を操作したことになる。実に危険な手口だ。

トランプは「自分ファースト」で、自分がメディアに取り上げられることだけを考えて北朝鮮との交渉に臨んだ、と批判されたが、文在寅も全く同類だったのだ。

二〇二一年、アメリカからトランプは去り、朝鮮半島には小型化に成功したとみられる核弾頭と、ＩＣＢＭが残ることになった。

第三章　絶望の文在寅

2018年9月19日、メーデースタジアムで行われたマスゲーム・芸術公演を観覧した南北両首脳
写真・AFP＝時事

文在寅の「バイデン・ショック」

金正恩を「トランプ・ロス」に陥れた二〇二〇年の米大統領選は、文在寅にも「バイデン・ショック」を与えることになった。

同盟国との伝統的な関係を重視せず、アメリカにとっての同盟国である日本と韓国の間の関係悪化も放置していたトランプ政権の間、文在寅は徹底した「反日政策」を取り、日韓関係はこれ以上ないほど冷え込んだ。だが、バイデンは同盟関係を重視する。強大化し、覇権を狙う中国、今や核保有国となった北朝鮮と対峙するには、日米韓の連携が必要だ。そう考えるバイデンは、文在寅にも日本との関係改善を求めた。

さらに、トランプのアメリカ外交においては、出しゃばってトランプから嫌われ、大統領補佐官のボルトンからは「韓国は米朝を騙した」と言われもしたが、それでも文在寅は米朝の間を取り持つ役割を担ったと誇示した。ハノイでの米朝会談前の電話で金正恩を激怒させて、米朝双方から疎まれることになったが、「米朝指導者の仲介者」との姿勢を見せることで、国際社会に存在感を示すことに成功した。

だがバイデンは中身のない米朝会談は行わない、としている。これでは韓国の出る幕がない。

「日本より先にバイデンと電話を」と慌てた韓国外交のお笑い種

二〇二〇年十一月三日に行われた選挙で、バイデンの大統領選出がほぼ確実になると、文在寅は慌てた。トランプ再選を期待していたうえに、バイデン陣営の高官との人間関係、パイプが全くなかったからだ。

かつて、米民主党のクリントン政権時代に駐米韓国大使だった韓昇洙《ハン・スンス》（のちに外交通商相、国連総会議長、首相）は、敗北した共和党政権高官たちを大使公邸に招き、激励したことがあった。この「外交配慮」が奏功し、次のジョージ・ブッシュ（子）政権では、「最も信頼できる韓国人」と評価され、外相になった。韓国側は当時、金大中政権だったが、共和党のブッシュ政権とは全くパイプがなかったため、対米外交を韓昇洙に全面的に頼ることになった。

だが文在寅政権には、韓昇洙のような政治家も外交官もいない。文在寅が慌てたのは他でもない、当選祝いの電話をかけようにも、連絡するすべがなかったのである。

「なんとしても、日本の菅義偉首相より先にバイデンと電話会談したい」

それが文在寅の希望だった。「日本より先にバイデンと電話できるよう、手はずを整えろ」と大統領府の外交担当補佐官と外務省に命じた。だが、それは国際常識上、ありえないという感覚さえ、文在寅は持っていなかった。また命じられた側近や部下たちも「そんなことは無理ですよ」と大統領を諭すことはできなかった。

外相の康京和《カン・ギョンファ》も、大統領の指示に混乱したことだろう。そもそも康京和は、この時点ですでに更迭が噂されていた。そのうえでの無茶振りだ。大統領の命令とはいえ、自身もバイデン陣営にツテはない。それでも何とかするしかない、とこちらも大慌てでワシントンに飛んだ。

誰が見ても、目的はバイデン陣営の高官就任予定者たちとの面会だった。だが、バイデン勝利が確実となったとはいえ、二〇二一年一月二十日まではトランプが政権を担う。外交もトランプ政権が行う。トランプがまだ在任中にもかかわらず、韓国の現役外相がバイデン政権の高官に接触するのは外交儀礼に反しており、現職のトランプ大統領、あるいはポンペオ国務長官に対する非礼というほかない。康京和は「韓国の外相には外交感覚がない」と、ワシントン中の笑いものになった。

韓国の新聞や通信社が報道するところによれば、結局、康京和は民主党の議会関係者には会ったものの、バイデン陣営の要人には会えず「失敗に終わった」という。文字通りの「お笑い韓国外交」というほかない。

「韓国は後回し」、メンツを失った文在寅

さらに「お笑い」な事態は続く。バイデン当選が確実になった直後の二〇二〇年十一月十二日、バイデンは菅義偉首相と電話会談を行った。文在寅は「なんとしても日本より先に」と部下に命じていたが、結局日本に先を越されてしまったのである。

バイデンと文在寅の電話会談は、菅との電話が終わってから、三十分後に行われた。当初は日米電話会談の一時間半後に行う予定だったものを、韓国側が強硬に要請して、時間を前倒しさせたのだ。

終了後、文在寅は韓国メディアに「会談時間は日本より四分、長かった」と報じさせた。先は越されたが、アメリカは日本よりも韓国に多く時間を割いた、と印象付けたか

ったのだろう。嫌がるバイデンを無理やり引き留め、何とか四分の時間稼ぎを行ったのだろうと思うと、その子供じみた様子には苦笑するほかない。

だが、この時にバイデンの心証を損ねたのか、文在寅は手痛いしっぺ返しを食らう。バイデン新大統領就任後の二〇二一年一月二十八日、バイデンは菅義偉と初の公式首脳電話会談を行った。文在寅とすれば、またも日本に先を越されたことになる。それだけでも我慢ならないのに、その後も一向に電話がかかってこない。結局、文在寅のもとには一月中には電話がかかってこなかったのである。韓国大統領府はこれまた大慌てで、大統領府付きの記者たちに「明日は来る」と連日、述べざるを得なかった。

「電話が遅れているのは、大雪と、コロナウイルス感染対策などのアメリカの国内事情のせいだろう」との説明に、納得しない記者が大統領府の役人に詰め寄ると、今度は「バイデン政権が北朝鮮にメッセージを出す期待があるので、時期を待っているのだ」などという、とんでもない言い分まで飛び出す始末だった。

結局、バイデンが文在寅に電話したのは二月四日。日本より一週間近く遅れた。アメリカの大統領が、韓国大統領との就任直後の公式電話会談をここまで遅らせたのはこれが初めてだった。日本より後、は通例だったが、翌日か、遅くとも二日後には電話する配慮を示していたから、「約一週間遅れ」は同盟国に対する異例の「冷遇」である。

文在寅はメンツを失った。

中国共産党創設百周年を祝って逆鱗に触れる

なぜ、バイデンはこれほどまでに文在寅への電話を遅らせたのか。

その理由は、就任前の電話でバイデンの機嫌を損ねただけでなく、文在寅と中国・習近平の電話会談の内容にあった。

文在寅は、バイデンとの電話会談前の一月二十六日に習近平と電話会談を行った。その内容が、バイデン、ひいてはアメリカを怒らせたのである。

文在寅は、習近平にこう述べた。

「中国共産党創設百周年の年を、心からお祝いいたします」

確かに二〇二一年は「中国共産党創設百周年」の節目に当たる。だが創設記念日は七月二十三日で、半年以上も前に伝えるべきことではない。しかも、これでは文在寅は

「中国の国家主席」ではなく、「中国共産党の総書記」に祝意を伝えたことになる。

この内容を知ったアメリカは、文在寅の見識を疑った。国際感覚がないのか、それとも共産主義、共産党にシンパシーがあるのか。

共産党、共産主義は、米韓が朝鮮戦争で共に戦った敵である。米兵、韓国兵を殺害した共産党のトップに、なぜ文在寅はわざわざ「お祝い」などを伝えているのか。バイデンでなくても納得しかねる言動である。

これによりバイデン政権内では「文在寅は、北朝鮮に従い、中国に阿《おもね》る共産主義シンパなのか」「同盟国としては危ない」という認識になり、中国への強硬姿勢を続けるアメリカ、バイデン政権に対して文在寅が「反抗」していると取った。だからこそ、同盟国でありながら電話会談の順番が後方へ回されたのである。

この中韓電話会談は日本ではあまり話題にならなかったが、中国では大きく報じられた。党創設百年の祝意以外にも、文在寅は中国をほめたたえていたからである。

文在寅はこう述べた。

「習近平国家主席閣下は新型コロナウイルス克服で、指導力を発揮された。高く評価します。韓国は、コロナ防疫を通じて中国との友好と信頼を高めます」

国際社会で新型コロナウイルスに対する中国の初期対応への非難がある中での、この発言だ。習近平は、嬉しそうに答えた。

「二〇二〇年からのコロナ大流行で、過去百年見られなかった世界的変革が起きている。国際情勢と地域情勢の変革は、深刻だ」

このやり取りも、アメリカのみならず国際社会を刺激するだろう。中国は国内の新型コロナ感染は抑え込んだかもしれないが、世界中に広がったウイルスは猛威を振るい、アメリカでは約五十八万人（二〇二一年五月現在）もが命を落としている。発生から一年以上経っても、まだ収束していない地域が多い。

さらにはマスクなどの戦略物資に続いて、ワクチン外交なども取りざたされ、国際社会の覇権争いがウイルスをきっかけに戦況を変えつつある中だ。手放しで習近平のコロナ対応をほめる文在寅の見識が疑われた。

さらに習近平はこう続けた。

「中韓の戦略的パートナーシップを、新たな段階に推進したい」

文在寅もこれに応じる。

「私も同じ思いです。早い時期の韓国訪問をお待ちしています」

アメリカ政府はこのやり取りにも神経をとがらせている。韓国はアメリカを挟んだ準同盟国ともいえる日本に対して「戦略的パートナー」などという表現は使わないが、中国とは「戦略的パートナーシップを新たな段階に推し進める」というのである。韓国と中国が「戦略的パートナー」としての関係を深めることは、同時に米韓同盟、日米韓安保協力関係の弱体化につながる。

文在寅はアメリカの虎の尾を踏んだ。だがそんなことには気づかない文在寅は、一向に鳴らない電話にやきもきし、二月四日、待ちに待ったバイデンとの電話会談に臨むことになったのである。

すれ違う米韓のプレス・ガイダンス

二月四日、米韓電話会談は午前八時二十五分から、五十七分までの三十二分間、行われた。通訳時間が入るので実質十六分、一人当たりの持ち時間は八分となる。それほど突っ込んだ話はできない。文在寅は会談後、内容についてこうツイートしている。

「私とバイデン大統領は、共通の価値に基づく米韓同盟を一次元、アップグレードすることを約束した」

どうもよく意味がわからない。その後、韓国大統領府の報道官が追加説明を行った。

「両首脳は、米韓同盟を朝鮮半島とインド太平洋地域の協力を超えて、民主主義、人権増進に寄与する包括的戦略同盟として、継続発展させることにした」

この説明でもよくわからない。米韓同盟を軸に、韓国が世界的な課題に取り組むことを合意したようにも読めるが、そんなはずはない――ということは、韓国政治と国際報道にかかわった経験があればピンとくる。

実態はどうだったのか。アメリカの大統領が各国の大統領と電話会談をする場合は、アメリカ側と、相手のそれぞれの国が「プレス・ガイダンス（報道発表文）」を出すことになっている。二月四日の米韓首脳会談のプレス・ガイダンスも、ワシントンのホワイトハウス、ソウルの青瓦台のそれぞれから発表されている。

両国の報道官の発表内容に齟齬が出ないよう、調整するのが通常だ。だがこの内容を突き合わせてみると、どうやら両者の間でそうした調整は行われていなかったようだ。こうしたズレは他の複数のメディアでも指摘されている。

ホワイトハウスの発表文には、韓国大統領府の補足説明にあった「インド太平洋」の文字はない。現在の国際政治において、「インド太平洋地域での協力」とはすなわち中国の海洋覇権への牽制、抑制を意味する。アメリカ側のプレス・ガイダンスでこの文言に触れなかったのは、バイデンが「韓国にはインド太平洋地域の安全保障にかかわる能力はない」と判断したことを示す。文在寅の対中姿勢に疑問を抱き、信頼できる相手にあらず、と判断したのだろう。

一方、韓国側は、「インド太平洋地域の協力を超えて」、韓国が北朝鮮の核問題に協力するとともに、米朝首脳会談の実現を目指すことで役割を果たしたい、との思いを込めたのだろう。国内向けのパフォーマンスであり、こうした韓国政府・文在寅のごまかしはすべてアメリカ側に見透かされている。

韓国の保守系新聞である朝鮮日報は、二月八日、「北朝鮮の立場をバイデンに説くな」と題する社説を掲載している。文在寅政権が今なお主張する「金正恩に非核化の意思あり」との姿勢を批判する元米高官らのコメントを引き、「トランプの成し遂げた米朝会談の功績を次の政権がしっかり引き継げるようにしたい」と主張する文在寅に厳しい警告を発する内容だった。

韓国は東アジアの「リンチピン」――その本音とは

さらに、ホワイトハウスの発表によれば、バイデンは「米韓同盟は東アジアのリンチピンだ」と述べた。リンチピンとは、馬車などの車輪が外れないようにする「車止め」だ。韓国の新聞はこれを「核心軸」と翻訳したが、軸の端にある車輪を止める「留め具」と、「軸」では大きな違いがある。

この意図的な「誤訳」は「東アジアの軸でありたい」とする韓国人の心理を反映したものだろうが、バイデンは「米韓同盟は北朝鮮の暴発を止めるためのもの」という認識であり、それ以上の国際的な役割は期待していない、ということだ。

アメリカは、日本の菅義偉に対してはこう伝えている。

「日米同盟は、インド太平洋の平和と繁栄のためのコーナー・ストーン（礎・要石）だ」

また、オーストラリアのスコット・モリソン首相にはこう語った。

「米豪同盟は、インド太平洋と世界の安定を守るためのアンカー（碇）だ」

日豪の両首脳には、両国との同盟がインド太平洋の平和のために重要なものであることを伝えている。韓国に対して「インド太平洋」の言葉を使わなかったのは、やはりこうした役割を期待していないからだ。にもかかわらず、文在寅が「米韓同盟を、一次元アップグレードする」と公言したのは、全くのごまかしといえよう。

韓国のメディアは、アメリカの意向を正確に報じた。「米韓同盟を、これまでよりも一段下に置いた」と分析したのである。韓国の専門家は、「アメリカが推進する日米豪印四か国の戦略対話（ＱＵＡＤ）参加に韓国は消極的であるため、インド太平洋の『核心軸』ではない」と冷静に分析している。

文在寅が執着する「戦時作戦統制権返還」

そもそもの前提として、こと文在寅に関してはインド太平洋戦略や対中戦略以前に、最低限、韓国に期待されている「北朝鮮の暴発を止める」意思があるのかどうかさえ疑わしい面がある。

トランプと金正恩は「米韓合同演習の中止」を希望するという点で奇妙な一致を見せたが、文在寅と金正恩も、「アメリカの韓国軍に対する戦時作戦統制権の返還」にことさら強い執念を燃やしている点で一致している。

戦時作戦統制権とは、本来は大統領が戦時に軍を統括する権限を指す。現在、有事が起きた際の韓国軍に対する作戦指揮権は、在韓米軍（国連軍）司令官が握っている。

これは朝鮮戦争開戦直後に、当時の李承晩《イ・スンマン》大統領が韓国軍に対する作戦統制権を国連軍に譲渡したことに始まり、以後、平時の作戦統制権は韓国に返還されたが、戦時の作戦統制権は今なお「米韓連合司令部」が握っており、同司令部の司令官は在韓米軍司令官が兼ねているため、戦時作戦統制権は現在も、アメリカが握っている。

この戦時作戦統制権について、盧武鉉《ノ・ムヒョン》大統領時代の二〇〇七年に、米韓両国の国防相が「二〇一二年に韓国軍に返還する」ことで合意した。当時は左派政権下ということもあり、韓国国内での反米機運が高まっていたため、米政府や米軍内にも「嫌われてまで韓国に駐留する必要はない」との空気が醸成されていたこともある。

だが保守派の李明博《イ・ミョンバク》政権、朴槿恵政権は返還を延期し、現在、戦時作戦統制権は「二〇二〇年代中ごろに返還」で合意していた。その後政権を担った左派の文在寅はかなり執拗に戦時作戦統制権の返還をアメリカ側に要求している。業績の少ない政権において、実現すれば最大限の成果になると見ての強硬姿勢だ。

米韓両国が公式に合意している以上、いずれ戦時作戦統制権はアメリカから韓国へ返還されることになるだろう。だがそれは米韓同盟の終わりを意味する。なぜか。作戦統制権が返還されれば、在韓米軍は撤退を免れない。その状況で仮に朝鮮半島有事が起これば、米軍は韓国軍の〝傭兵〟として北朝鮮、あるいは北朝鮮を支援する中国軍、ロシア軍と相対せねばならなくなる。だが、米軍は他国の司令官の作戦指揮下には入らない。これが韓国にもたらす負の影響は計り知れない。

米韓、ひいては日本にとってこれは大きな危機であり、韓国にとっては破滅さえ意味するものだが、同時に北朝鮮にとっては「南朝鮮革命統一」の絶好のチャンスが訪れることになる。

在韓米軍が撤退すれば韓国は崩壊するか北朝鮮に吸収される

二〇〇六年から二〇〇八年まで在韓米軍司令官を務めたバーウェル・ベルは、二〇二一年二月十日、米VOA放送のインタビューに応じ、「戦時作戦統制権返還で、韓国は北朝鮮に従属する」と警告した。この直前に韓国国防相の徐旭《ソ・ウク》が「任期中（二〇二二年三月）までに戦時統制権を移行させる」と発言したことを受けて発した警告だ。

徐旭は、二〇二〇年九月の就任式でも「堅固な韓米同盟を基盤に、時代の要求である戦事作戦統制権の移管を加速させるべきだ。これまで蓄積してきた韓国軍の能力を精密に評価し、移管の条件を早期に充足させる」と表明している。

これに対し、バーウェル・ベルはこう述べる。

「韓国は主権国家だから、戦時統制権の早期返還を求める権限を持っている。そうなると、有事の際の米軍派兵が制限される可能性が高い。その場合、米韓同盟に亀裂が生じる。韓国への北朝鮮の影響力が高まり、従属を強いられるかもしれない」

「従属」とは温和な表現で、本音としては「韓国は崩壊する」「北朝鮮に吸収合併される」との厳しい警告だ。さらにこうも述べる。

「北朝鮮は、中国からの全面的な支援を得られる軍事環境にある。米国が同盟国としての役割を果たせなければ、北朝鮮軍は最後の戦闘で韓国軍を撃破する可能性が高い。米国以外に、韓国に戦闘部隊を派遣する同盟国はない。韓国は、北朝鮮に一国だけで立ち向かわざるを得ない」

これも「戦時統制権を返還したら、在韓米軍は撤退し、有事になっても米軍は派兵されない」という認識を示している。率直に言えば、「有事になっても韓国を助けない」「見捨てる」との忠告だ。

さらにバーウェル・ベルは戦時作戦統制権返還合意の破棄をも求めるが、「米国の属国」という表現や現実に、韓国人は耐えられない。

「二〇二〇年代中ごろ」の返還合意だが、バイデン政権の第一期の任期中に当たる二〇二一年から二〇二五年の間にはおそらく実現することはないだろう。だが、返還合意が破棄されない以上、いつかは実現する。

いずれ、在韓米軍は撤退する。その時、日本はどのような戦略を取るべきか、考えておかなければならない。もちろん、軍事介入はすべきでない。これは歴史的教訓である。

米朝に挟まれる苦境の韓国

文在寅とトランプの間では、在韓米軍の駐留経費も問題になった。さすがに文在寅は負担増に簡単には応じなかったが、バイデン政権下では合理的な合意に達した。

バイデン政権で国務副長官に任命されたウェンディ・シャーマンは、韓国メディアや外交関係者からは「親日・反韓」的人物とされているが、そのシャーマンは二〇二〇年八月の大統領選の最中、バイデン陣営の外交安保政策担当者として、トランプ政権の在韓米軍政策を批判し、こう述べている。

「私なら、韓国と在韓米軍の駐留経費をめぐって争わない。北朝鮮の核に対処するには、韓国と防衛費争いをしてはならない。米軍を韓国に配備したのは、アメリカの国益になるからだ」

これに文在寅と金正恩はショックを受けた。ともに、在韓米軍撤退を望み、さらには米韓合同演習をも縮小（中止）すべきと考える立場だったからだ。トランプも、この考えに乗っていた。この点で三者の希望は一致していたのである。

文在寅が在韓米軍撤退・米韓合同演習の中止にこだわるのは、ひとえに北朝鮮への配慮からであり、それはひいては北朝鮮の統一政策に協力したも同然である。

北朝鮮の統一戦略は、あくまでも「南朝鮮（韓国）で革命を起こし、必要なら軍事介入する」というもので、その最大の障害が在韓米軍である。

金正恩は二〇二一年年頭の労働党大会で「（南北首脳会談での）米韓合同軍事演習中止の約束を守っていない」と文在寅を激しく非難した。

文在寅も直後の一月十八日の年頭記者会見で「必要なら、米韓合同軍事演習について、北朝鮮と話し合うことができる」と応じた。実際、二〇二一年三月八日から行われたバイデン政権下初の米韓合同演習は、規模を縮小し、コンピューターシミュレーションによる「机上演習」となった。野外訓練は三年連続行われていない。

こうした文在寅の方針は、アメリカはもとより国内からも「北朝鮮は敵ではないのか」と批判されている。保守派が疑心暗鬼になるのも当然で、確かに文在寅政権は大統領以下、北朝鮮を敵とは考えていないようだ。北朝鮮が本気で軍事統一を画策しているとは思ってもいないようで、「北朝鮮が韓国を攻撃するはずがない」と考えている。

近年でも北朝鮮は延坪島《ヨンピョンド》に対する攻撃や韓国海軍艦艇撃沈に及び、韓国軍兵士や民間人に犠牲や被害を強いているが、文在寅以下高官たちは「海軍艦艇撃沈は北朝鮮の犯行だ」とは言わず、むしろ「米韓合同軍事演習の実施で北朝鮮が反発し、軍事的緊張を誘発する可能性がある」と、合同軍事演習中止の言い訳にしてさえいるのだ。

だがこれは現実逃避以外の何物でもないだろう。

日本は半島問題に介入してはならない

なぜ、文在寅ら韓国の左翼勢力は、北朝鮮の軍事行動の危険性を直視せず、在韓米軍の撤退を要求するのか。その主張の内容を要約すると次のようになる。

「外国軍隊の駐留を許す国は、独立国家ではない。これでは韓国はアメリカの属国だ。国家の『正統性』を確立するには、まずは外国軍隊を撤退させるべきだ。現に、(国家としての正統性のある)北朝鮮には、外国軍隊は駐留していない。だから北朝鮮は『主体国家』であり、独立国なのだ。それに、在韓米軍が駐留する限り、南北統一はできない」

第五章でも詳しく触れるが、戦って独立を勝ち取り国家を成立させた北朝鮮に「正統性」を認める「金日成主義左翼」である文在寅らにとっては、これが自然な考えなのだろう。確かに正論めいたところもある。だが現実はそうはいかない。

そもそも北朝鮮は「大韓民国」の存在を認めておらず、「南朝鮮」と称し「米帝国主義の傀儡政権」という立場を取っている。傀儡政権から人民を開放し、統一と独立を達成するのが北朝鮮の最終目標だ。そのためには北朝鮮主導の「南朝鮮革命統一戦略」を実行しなければならない。

このため、韓国との「平和共存路線」と歩調を合わせることは不可能だ。「南朝鮮革命による統一」こそが北朝鮮の金日成主義思想であり、国家としての正統性を保つ。金正恩には譲歩は許されず、仮に譲歩すれば北朝鮮軍にクーデターを起こす大義名分を与えることになる。

今なお、北朝鮮が巨大な情報機関や工作機関を維持し、スパイ活動やテロ活動を続けているのは、この「南朝鮮革命」という巨大なフィクションの実現のためなのだ。

在韓米軍が撤退すればどうなるか、火を見るより明らかだろう。

こうしたことを踏まえても、日本は絶対に朝鮮半島に軍事介入すべきではない。文在寅はトランプに「仮に朝鮮半島有事が起きた場合、韓国軍の支援であっても日本の自衛隊が韓国の地を踏むことは、国民が許さない」と明言している。これは日本にとっては福音である。韓国が消滅するも生き残るも、韓国国民にしか選択の権利はないのだ。北朝鮮についても同じである。日本は介入すべきではない。ただし、在韓米軍撤退後の東アジア情勢と戦略は見据えておく必要がある。

日韓合意にこぎつけたバイデンの顔に泥を塗った文在寅

二月四日のバイデン・文在寅の電話会談の内容に戻ろう。双方の発表によって米韓の認識の差が最もはっきり出たのが、日韓関係の改善に触れた部分だ。

青瓦台の発表にはこうある。

「両首脳は、韓日関係の改善や韓米日協力が平和と繁栄のために重要だという共通の認識を得た」

だが、ホワイトハウスの発表文には「日韓関係改善」の文字はない。おそらく、バイデンが日韓関係の改善について文在寅に迫ったものの、発表しては韓国側が嫌がるだろうと見て削ったのだろう。だが韓国側はそのまま発表している。「ホワイトハウスはそのまま発表するだろう」と見て、削ってはまずいと考えたようだ。両国の考えはことごとくすれ違っている。

文在寅は、バイデンから「日韓関係を改善せよ」と言われることを覚悟してはいただろう。韓国外務省は、バイデンの大統領当選が確実になると、韓国とバイデンの間の外交関係を再調査している。その際、二〇一五年末、日本の安倍晋三政権と韓国の朴槿恵政権が交わした「日韓慰安婦合意」は、アメリカのオバマ政権下で副大統領を務めていたバイデンの仲介だったことを知った。

まずい、と文在寅は思ったことだろう。文在寅は大統領就任以来、この「日韓慰安婦合意」を否定し続けてきた。「韓国民の同意を得られない」「内容でも手続きでも欠陥がある」などとし、さらには合意に基づいて設置され、日本が血税から十億円を拠出した元慰安婦たちのための「和解・癒やし財団」の解散を決定。合意破棄には至らないものの、事実上の骨抜き、無効化を行ってきた。

文在寅政権の慰安婦問題への対応は、バイデンの気分を害するものでしかなく、文在寅にとっても「バイデン・ショック」ともいうべき大きな衝撃だったに違いない。

バイデンがこの問題で動き出したのは二〇一三年にさかのぼる。この年の十二月、バイデンは副大統領として日本、韓国、中国を歴訪した。日本では首相の安倍から「歴史問題で韓国を刺激しない」との約束を取り付け、韓国では朴槿恵に日韓首脳会談を行うよう、圧力をかけた。

だが、その直後の十二月二十六日、安倍が首相として靖国神社に参拝。これに激怒したバイデンが出したコメントが、「失望した（disappointment）」という、英語表現としては非常に強い、人格否定につながりかねないものだった。当時のキャロライン・ケネディ駐日米大使も同じ表現を使った。対北朝鮮、ひいては対中国で歩調を合わせなければならない日米韓の三国関係を何とか取り持とうとしていたバイデンとすれば、それをぶち壊しにする安倍の靖国参拝に文字通り「失望」したのだろう。

それでもバイデンは日韓関係の修復に努めた。オバマ大統領を動かし、二〇一四年三月の核安全保障首脳会議で日米韓首脳会談を実現させ、日韓両首脳を説得。バイデンは副大統領として、「慰安婦問題は単なる人権問題ではない。中国と対抗するために日米韓安全保障体制の強化が重要だ。そのためにこの問題にケリをつけておく必要がある」

と説き、日韓首脳を裏で説得した。

こうした水面下での働きかけがようやく実を結んだのが、二〇一五年十二月の「日韓慰安婦合意」だったのである。安倍晋三は朴槿恵に「最終的かつ不可逆的な合意」であるとし、慰安婦問題の蒸し返しをしないよう求めた。代わりに、日本は十億円の資金を提供することになった。アメリカ政府は、両国の国民感情を刺激しないよう、「日韓慰安婦合意」に対するバイデンの関与を絶対に公表しないよう求めた。

そのため、文在寅はバイデンが「日韓慰安婦合意」に関与したどころか、事実上の提唱者だったことを全く知らなかったのだ。この事実は、文在寅、そして大統領府には大きな衝撃だった。覆水盆に返らず。バイデンの必死の働きかけを、文在寅はそうとは知らず、すべて無駄にしたのである。

この最大級の「バイデン・ショック」は、文在寅政権の徴用工裁判判決と慰安婦裁判判決に対する姿勢を百八十度といっていいほど、変えさせることとなった。

徴用工・慰安婦裁判の荒唐無稽な判決内容

韓国最高裁は二〇一八年、元徴用工に対し日本製鉄が不法行為を働いたとして、一人当たり約一千万円の「慰謝料」の支払いを命じた。係争は、未払い賃金の支払いや退職金などの問題ではなく、精神的苦痛に対する慰謝料の支払いにあった。

日本政府は、日韓請求権協定により、徴用工による請求権は消滅した、との立場を取る。問題は原告の「慰謝料」の要求を認める根拠として、ソウル地裁が「一九一〇年の日韓併合条約は違法だった」とする立場に立ったことにある。併合条約自体が違法なのだから、それに基づいて行われた「徴用」も違法だ、との法理論だった。

一九六五年の日韓基本条約における請求権協定は、あくまで国同士のものであり、個人の請求権は残っているとした。また、裁判で原告は「精神的苦痛」を訴えたが、判決は徴用工であった原告に対し、暴力や差別するなどのハラスメントを誰が働いたのかという事実確認や構成要件は認定されなかった。これでは日本の植民地時代を生きた韓国人は、誰であれ日本に対する「慰謝料」を請求できることになりかねない。あまりに荒唐無稽な法理論で、日本の法律家でも「トンデモな違法理論」とあきれる向きが多い。

日本政府の見解は、日韓併合条約は大韓帝国皇帝の裁可を得て合法的に成立したものであるとの立場に立つ。日韓基本条約は韓国側が「条約は無効」と解釈できる余地を残したが、だからといって韓国の裁判所が日本製鉄に慰謝料の支払いを命ずることができる、とするには無理がある。

さらに慰安婦裁判についても、ソウル中央地裁は二〇二一年一月八日に元慰安婦の女性十二人に対し、一人当たり約一千万円の賠償支払いを日本政府に命ずる判決を下した。これは、「主権国家は、他国の裁判権に服さない」という国際的に確立した原則に反するものであると同時に、法的事実の認定も間違っている。

これまで日本政府は、二度にわたり元慰安婦への金銭補償を搬出している。一度目は一九九五年の「アジア女性基金」、二度目は二〇一五年の「日韓慰安婦合意」だ。ところが一部の元慰安婦や支援団体は、「お金よりも日本政府の謝罪が必要」と反対し、資金を受け取った元慰安婦を激しく糾弾し、お金を返還させたことさえある。貧しい生活、厳しい環境にある元慰安婦たちを、より苦しい状況に追い詰めた。

その際、お金を受け取らなかった元慰安婦や支援団体のメンバーらは「心は金では売らない」「謝罪を求める」として、自らの矜持を示していた。にもかかわらず今回、ソウル中央地裁が求めたのは金銭の支払いのみであり、日本政府に対して「謝罪」は要求していない。かつての矜持はどこへ行ったのか。

ましてや、二〇一五年に元慰安婦のために十億円の拠出を決めた「日韓慰安婦合意」を、文在寅に反故にされてもいる。日本とのこれ以上ない関係悪化にとどめを刺すような判決だった。

これでは元慰安婦に対する同情を抱いている日本人さえも反発を覚えかねない。

「バイデン・ショック」で判決への対応が百八十度変化

こうした、主権にかかわり外交にも多大な影響を及ぼし、国際法にも反する判決は、大統領である文在寅が認めなければ、下せるものではないだろうと日本人は見る。一部には「いや、司法の正義を求めるもので、その正義は政権の意向を超越するのだ」と韓国に忖度する日本の専門家もいるが、ごく少数だ。

当初、文在寅は徴用工裁判についてあくまでも「司法を尊重する」とし、その判決を事実上、肯定してきた。ところが、その姿勢が一変したのである。

ここに「バイデン・ショック」の影響が見て取れる。

大統領府記者たちは、二つの判決が出そろった二〇二一年の年初に、新年会見を行う文在寅が、二つの司法判断についてどう述べるのかに注目した。

その直前、韓国外務省は「司法判断を尊重する」としながら、一方で「二〇一五年の慰安婦合意は生きている」と矛盾することを述べていた。一体なぜか。

これは、実は文在寅に「日韓合意が公式合意であった事実を認める」と発言させるために、世論のショックを和らげる〝地ならし〟として韓国外務省と大統領府が示し合わせ、発表したものだったのである。

新年の会見で、文在寅はこう述べた。

「日韓間には解決すべき懸案がある。輸出規制問題、徴用工訴訟問題もある。問題を外交的に解決するために、両国は多様なチャンネルで対話している。外交努力をしている最中に、慰安婦判決が加わり、率直に言って困惑しているのが事実である」

「慰安婦判決の場合は、二〇一五年に日韓政府の間で慰安婦問題に対する合意があった。

韓国政府は、その合意が両国政府間の公式合意であった事実を認める。このような背景のうえで、今回（二〇二一年一月八日）の判決が出た。被害者のお婆さんらが同意できる解決を見出せるよう、日本と協議していく」

さらに、徴用工判決については、裁判所が日本企業の資産を売却して現金化する方式についても、次のように言及した。

「強制執行の方式で現金化されることや、判決が実現されることは、日韓両国間の関係に望ましくないと思う」

これまで、「あくまで司法の判断であり、大統領が言及する権利はない」としてきた立場を一転、百八十度回転させ、「困惑」「望ましくない」と、判決に否定的なコメントを出したのである。すると四月二十一日、ソウル地裁は正反対の判決を出したのだ。

このことは、大統領発言が判決に影響を与え得ることを意味しており、さらに言えば元は大統領の意向を受けた判決だった、ということにもなろう。事ここに至って懸念を表明するくらいなら最初からそう言えばよかったのだが、日本人には理解しがたいこの変わり身も、「バイデン・ショック」によるものだと思えば得心がいくだろう。

慰安婦合意の破棄を画策し、日韓関係を決定的に悪化させる判決を認めることは、バイデンの努力を水泡に帰すだけでなく、その顔に泥を塗るに等しい。「バイデン・ショック」でこれまでの発言をひるがえしたところで、もう遅い。

米中貿易戦争の狭間ですりつぶされる韓国

さて、習近平との電話会談の内容で「アメリカより中国を取るのではないか」と疑われた文在寅だが、実際、米中双方から「どちらに付くつもりか」と迫られる文在寅の内心は苦しいものがあろう。アメリカとは在韓米軍が駐留する、まごうことなき同盟関係にあるが、経済的には中国が最大の輸出国だ。

韓国経済はかなり中国に依存している。二〇一八年の中国への輸出依存度は、四八・二％にも達した。なんと五割だ。この中国依存は、安全保障政策にも影響を及ぼす。

韓国は二〇一六年、北朝鮮の水爆実験を受け、米国のＴＨＡＡＤ（高高度防衛ミサイル）の韓国内への配備に同意した。ところが、配備に猛反発した中国が、韓国企業・ロッテ製品の不買運動や韓国への旅行を禁ずる経済的圧力をかける〝制裁〟を加えた。

文在寅政権はこの中国の経済的圧力に耐えかね、（既存の発射台四基搬入に）追加搬入をしないことで中国側と妥協した。もとより文在寅政権内や支持勢力には、アメリカよりも中国、北朝鮮にシンパシーを持つものが多くいる。

トランプ政権期は、当初米中蜜月ともいわれる時期があったが、後半は中国との対立姿勢に終始した。その対立は「米中新冷戦」「米中貿易戦争」とも呼ばれたが、「中国に雇用を奪われた」とするアメリカの労働者層を中心に支持を得た。

一方、バイデンは大統領選挙運動期間中に、トランプの対中政策を批判し「中国がアメリカを打ち負かすことはない。冗談じゃない。彼らは悪い人たちではない。競争相手でもない」と述べ、厳しく批判されていた。日本でも「バイデンは親中派」とする見方が強まっていた。

そうした国内外の評判を気にしたのか、就任後は「eat our lunch（中国がアメリカを打ち負かそうとしている）」との強い表現で、厳しい対中姿勢を取ることを示唆している。

このバイデンの姿勢の変化は、米議会内の中国への厳しい空気と、中国批判の世論に配慮したものだろう。

支持率急落、アメリカも北朝鮮も無視する文在寅の明日

バイデンは二月十日、習近平と米中電話会談を行った。会談は二時間に及び、バイデン政権の対中政策を判断する重要な会議として注目された。だが専門家は、「期待外れ」との厳しい判断を下した。

ホワイトハウスの発表によれば、バイデンは習近平に人権問題で激しく迫った、との印象を強調した。だが、言論の自由など民主主義の拡大の要求には、習近平から「内政干渉である」とやり返されたようだ。

それでもバイデンは、香港やウイグル問題などの人権問題に厳しい態度を示し、是正を強く求めたという。これに対し、習近平は「台湾や香港、新疆ウイグル問題は、中国の主権と領土保全の問題だ。アメリカは中国の核心的利益を尊重し、慎重に行動すべきだ」とかなり居丈高に応じている。バイデンがこれに反論したかは明らかではない。

こうした中国の人権問題に対する国際的圧力は、ここのところ急速に高まっている。

トランプ政権のポンペオ国務長官が任期最終日に「中国政府がウイグル人などのイスラム教徒系少数民族に対しジェノサイド（大量虐殺）を行っている」と認定したのに続き、

バイデンも習近平に対し電話会談でウイグル族に対する弾圧への懸念を表明。二〇二一年に入ってからはカナダ議会、オランダ下院なども「非難決議」を出すに至っている。だが、文在寅としては苦悩するほかない。バイデンが人権問題と言論の自由、民主主義的価値を外交政策の柱に据えるとなれば、当然北朝鮮の人権問題も対象にならざるを得ないからだ。文在寅はこれまで、北朝鮮の人権、自由、拉致問題、政治犯収容所などについて、言及しないできた。その政策を継続するのは難しくなる。

ホワイトハウスのプライス報道官は、米中首脳電話会談前日に「北朝鮮の非核化よりも、同盟国の非協力が問題である」と、ほとんど韓国・文在寅を名指しする形で疑問を呈した。バイデン政権は、文在寅の北朝鮮政策にも、疑問を感じているのだ。

米韓の不信は埋めがたいものがある。

文在寅はトランプに嫌われたが、バイデンとの関係も最悪の船出となった。金正恩からは南北連絡事務所の爆破、金与正による口汚い非難など、激しく攻撃を受けている。自ら「反日闘争宣言」ともいうべき挑発を行ってきた日本との関係改善は望むべくもない。二〇二〇年末には、政権支持率は三〇％台にまで落ち込んだ。

二〇二一年四月八日のソウル市長選挙と釜山市長選挙の補選で、文在寅大統領の与党は「歴史的大敗北」を喫した。野党「国民の力」の呉世勲元ソウル市長が与党候補に一八％もの得票差で勝利し、釜山市では同じ野党の候補が与党候補に二八％もの大差で勝利した。この与党大敗北で、二〇二二年三月の韓国大統領選挙で保守系野党候補が勝利する、との期待が日本にあるが、そう簡単ではない。左翼候補が大統領に当選すれば、韓国は崩壊への歩みを早めるだろう。次期大統領選は、いよいよ歴史の分かれ目になる。これからの韓国政界では、韓流時代劇そのままの陰謀と裏切りが展開されることになるだろう。また、当然ながら米韓首脳会談は、日米首脳会談に先を越された。

もはや中国にすがるしかない文在寅の絶望は続く。

第四章

半島崩壊——北朝鮮の場合

北朝鮮の金与正朝鮮労働党第1副部長（2019年ベトナム・ハノイで撮影）
写真・EPA＝時事

北朝鮮、事実上の「市場経済導入」という大変動

北朝鮮の「崩壊」は外交関係や、他国の軍事的脅威、国連の経済制裁など、外的要因によってのみもたらされるものではない。北朝鮮は、内部からの崩壊の危険を常に内包している。

北朝鮮経済の「変化」も、そうした危険要素のひとつである。

実は日本のメディアだけでなく、韓国のメディアも見逃した北朝鮮の「大変動」が、二〇二一年の年初に起こっていた。

一月五日から十二日まで行われた第八回労働党大会演説で、金正恩は経済の失敗を認め、「原価、価格、質」の改善と重要性を説いた。これは事実上、北朝鮮での「市場経済導入」を宣言したに等しい。

「市場経済」や「原価」「価格」といった言葉の使用が禁止されてきた北朝鮮において、この演説は歴史的転換である。だが、朝鮮問題で高い分析力を示してきた日経新聞でさえ、この件に触れていない。北朝鮮がこれまで「価格」と「原価」を否定してきたのは、これが資本主義的発想に基づく用語だからである。北朝鮮ではこれまで「社会主義統制

計画経済」を強調し、計画、価格、原価に至るまで、中央機関が統制した。実際には、北朝鮮でも「闇市場」では市場経済が実施されている。そこでは需要と供給によって価格が決まっているからだ。だがこれを公に認めるわけにはいかない。

市場経済では、需要と供給のバランスが価格を決めるが、統制経済においてはそうではない。そのため、品質は問われなかった。底が波打った状態のガラスのコップなども流通していた。生産ノルマの数さえ達成すれば評価されるため、価格が原価を割ることさえあった。旧ソ連や東欧諸国の経済が破綻した理由の一つがここにある。

だが今回、金正恩は過去の経済政策の「欠陥と障害」を指摘し、「価格と原価、質」の重視を繰り返し指摘している。「計画経済の改善、原価と品質向上、価格」という表現を使っている。これは事実上、市場経済への転換を意味し、経済政策の変更指示だ。

北朝鮮の「市場経済化」は成功するのか。そもそも実現可能なのか。旧ソ連や東欧諸国の経済は破綻した一方、中国やベトナムは市場を開放し、「社会主義市場経済」を導入して経済成長を達成している。北朝鮮、金正恩がこうした「中国・ベトナム型」の経済を思い描いている可能性は高い。

ただし、両国には北朝鮮のような「王朝」はなかった。「王朝」を保ちながら市場経済化するのは相当、難しい。市場経済化するには外国からの投資を呼びこむ「改革開放」が必要不可欠だが、「改革開放」を行えば、投資家をはじめとする外国人が北朝鮮に来ることになり、必ず外からの情報が国内に流入する。外資とともに流入する情報は、「金王朝」にとっては命取りになりかねない。

もちろん、中国のように情報統制を徹底しながら改革開放を行うことも不可能ではないが、中国の場合は何かあれば指導者を交代させることもできる。だが北朝鮮には指導者の交代が許されないため、そう簡単にはいかないのである。

さらには、こうした変化を喜ばない勢力も、北朝鮮国内には存在する。金正恩にとっては「功績」である米朝会談でさえ、よく思わない人々もいる。また、金正恩であっても、軍の意向を無視してトランプと核交渉を進めることはできなかった。「最高尊厳」である金正恩でさえ、党や軍を完全に統制することはできない。

朝鮮半島には内部分裂、内部抗争で滅んできた政治文化がある。退任した大統領が投獄されるなど、韓国の保革の熾烈な対立はよく知られるが、北朝鮮とて例外ではない。

華々しい米朝会談の裏で起きていた「北朝鮮大使館襲撃事件」

そうした内部での熾烈な勢力争いや対立を示す事例は、近年も起こっている。

文在寅の「偽情報」に騙されて金正恩が激怒した二〇一九年二月のハノイでの米朝会談の裏で、側近や高官が金正恩に隠していた重大問題が浮上していた。「在スペインの北朝鮮大使館襲撃事件」である。

ベトナム・ハノイでの米朝会談に臨むため、金正恩は二〇一九年二月二十三日に平壌を出発した。だが実はその前日の二十二日、スペインの北朝鮮大使館が何者かによる襲撃を受けていたのである。にもかかわらず、誰もこの事実を金正恩に報告していなかったというのだから、ただ事ではない。一体、何が起きたのか。

二月二十六日昼、ハノイに到着した金正恩は、宿舎としていたメリアホテルに入った。セキュリティに万全を期すため、十七階から二十二階まで六階分を貸し切る念の入れようだった。

金正恩は、ホテルでアメリカのCNNにチャンネルを合わせて初めて、「在スペインの北朝鮮大使館襲撃事件」が起きていたことを知って驚愕し、すぐに秘密警察である国家保衛省に調査と報告を命じた。

事件概要はこうだ。金正恩が列車でハノイに出発する当日の二十三日未明（平壌時間、スペイン時間では二十二日午後）、模造拳銃やナイフ、粘着テープを手にした十人の男が、スペイン・マドリードの北朝鮮大使館に乱入したのである。犯人らは、大使館員八名を殴り、手足を縛りあげ、代理大使に亡命を求めたが、代理大使はこれを拒否した。

主犯は、メキシコのパスポートを所持したエイドリアン・ホン・チャン、三十四歳。犯人らは、大使館にあったパソコン二台と、大使館員のスマートフォン、ＵＳＢメモリなどを奪って逃走した。

犯人グループが金正恩のハノイ出発の日時に合わせて襲撃したのは間違いなかった。

金正恩の行動が筒抜け

犯人グループは三月六日になって自らを「自由朝鮮」と名乗り、脱北者の支援、金正恩体制の打倒を目指す組織であると表明した。「自由朝鮮」は、二〇一七年二月に暗殺された金正日の長男・金正男《キム・ジョンナム》の家族を保護していることをかねて明らかにしていた。

なぜスペインの大使館が狙われたのか。それまで北朝鮮の欧州での情報拠点は、ロンドンの大使館に置かれていた。だが大使館の公使が暗号コードを持って韓国に亡命したため、拠点をスペインに移したところだった。このことを知ったアメリカの情報機関か捜査機関が、ハノイでの米朝首脳会談に合わせて起こした事件だったのではないか、と見られている。

現に、大使館から奪われたパソコンには、平壌との交信に使われる暗号コードの解読文が保存されていた。少なくとも襲撃した、あるいは襲撃を指示した組織は、こうした事情はもちろん、金正恩がこの日、平壌を離れることを知っていてやったと考えるべきだろう。情報や、金正恩の行動が筒抜けになっていたと見てもよい。

犯人側の思惑通りというべきか、平壌の情報工作当局はすぐに金正恩に連絡を取ろうとしたが、できなかった。金正恩からすれば、襲撃事件の報告は平壌から届かず、ホテルでたまたまつけたテレビで知るところとなったのだから、疑心暗鬼にもなるだろう。金正恩は米朝会談からの帰路の列車の中で、担当者や情報工作機関の責任者を叱責したという。

姿を消した「金正日の料理人」・藤本健二

この事件の捜査過程で、姿を消した人物がいる。「金正日の料理人」として知られる、日本人の藤本健二だ。本人が所有する平壌の日本料理屋に姿を見せなくなり、二〇一九年六月にはネットメディア「デイリー新潮」が「藤本健二氏の安否が不明」と報じた。

その後、「藤本氏を英国外交官が確認」などという記事も出たが、二〇一九年九月以降は本人を確認できなくなっている。英外交官の証言は日本で「行方不明」と報じられるのを嫌がった北朝鮮当局が、一時的に藤本氏の健在を確認させた「工作」だった可能性が高い。「藤本はＣＩＡのスパイではないか」との疑惑が浮上し、取り調べを受けていたのである。

一九八九年から金正日の専属料理人となった藤本氏は、金正恩が七歳から十八歳の間に、「遊び友達」として接することになったのだ。

金正恩は十二歳だった一九九六年から四年間はスイスに留学しており、さらに藤本氏が遠ざけられていた時期もあるため、毎日付きっきりで過ごしたわけではない。だが、それでも家族以外で少年期の金正恩にここまで密に接した人間はいない。

金正日は北朝鮮高官の家族への接触を禁じており、次男・金正哲《キム・ジョンチョル》と三男・金正恩は学校に通わせず、家庭教師を雇っていた。二人は漢字と日本語を習い、それぞれに美少女が「お付き役」を務めていた。そのうちの一人が日本の童謡を上手に歌っていたため、藤本氏は「彼女は横田めぐみさんではなかったか」とにおわせていた。

米韓情報機関との接触が危険視されたか

藤本氏の平壌での生活は、日本のスパイと疑われるなど、必ずしも順調ではなかったようだ。二〇〇一年には、北朝鮮を脱出して日本に帰国した。身の危険を感じてのことだろう。二〇〇三年には、『金正日の料理人―間近で見た権力者の素顔』（扶桑社）を出版。この本には平壌からこっそり持ち帰った写真が多数掲載されている。これが平壌で大問題になった。絶対に外部に顔を見せてはいけない「裏書記」が多数写っていたとされ、彼らは藤本氏との関係を否定するのに懸命だった。

日本に戻ってからも身の危険を感じていたようだ。金正日の写真を多数持ち帰り、マスコミに売るつもりだったが、自宅に置いていた写真が焼き捨てられていたのだという。

北朝鮮のスパイと思われる女性が接近し、焼却してしまった。監視されている恐怖におびえ、警察も自宅付近を警備したという。

ところが二〇一六年に平壌に完全に帰還し、日本料理店「たかはし」を開店した。「高橋」は藤本氏の本名である。

藤本氏には一つの問題があった。日本滞在中に、韓国の情報機関やアメリカのCIAが接触していたのである。本人自ら、接触した事実を知人らに話していたというが、これはあまりに無警戒な態度だったろう。

こうした線から、スペインでの大使館襲撃事件での「スパイ捜査」の網に引っ掛かったのではないか。さらには、その捜査の過程で藤本氏の平壌帰還に貢献した金正恩の秘書室長・金昌善《キム・チャンソン》も姿を消した。「藤本スパイ事件」の責任を問われた可能性がある。

発表されない「指導者の生誕日」の謎

その藤本氏について、こんな話がある。二〇一〇年、金正日が死去する前に、三男である金正恩が後継者として姿を見せたときのことだ。金正恩の幼少期を知る藤本氏はテレビ局に呼ばれ、コメントを求められた。その第一声は専門家や関係者の注目を集めた。「どうですか」と聞かれた藤本氏は、こう答えた。

「いやー、変われば変わるものですね」

一体どういう意味だったのか。普通なら「昔の面影はあります。ずいぶん立派になられました」とか「懐かしい」などと口にするのではないか。「変われば変わるものだ」とは、あまり肯定的な意味には受け取れない。一部専門家は、〝金正恩ニセ者説〟の根拠と見た。後に真意を聞かれた藤本氏は「感動で頭が混乱して、何を話したか覚えていない」と、明言を避けたが、藤本氏が行方不明となった今では、真意を確かめることもできない。

金正恩総書記は一九八四年一月八日に生まれたとされている。「されている」というのは、北朝鮮は金正恩の生誕日を、公式には発表していないからだ。

北朝鮮では、金日成主席誕生日の四月十五日と金正日氏の誕生日二月十六日は、生前から「国民の祝日」だ。ところが、金正恩総書記の誕生日を発表せず、生誕記念日のお祝いもしない。北朝鮮の統治伝統では、ありえないことだ。

何か、秘密があるのではないか。平壌では一時、「本当に三男なのか」との噂が幹部の間で密かに語られた。こんな噂話をしていることがバレたら収容所送りだが、実は、先に触れた金正日の方針もあり、若い頃の金正恩と接したことのある幹部はほとんどいなかった。そのため、出生にまつわる噂が一定の信憑性をもって語られるようになった。

誰であれ、いつ生まれたのであれ、金日成の孫であり、金正日の息子であれば「革命の血統」は引き継いでいることになる。後継者の条件は満たしているのだから、一月八日を誕生日とし、国民の祝日と定めればいいようにも思うが、そうしないことの納得いく説明は今もなされていない。そのため、北朝鮮国内では噂が噂を呼ぶことになる。

金与正をめぐる「おかしな事件」

金正恩の妹・金与正は一九八七年九月二十六日生まれで、こちらは公表されている。金正恩氏と一緒にスイスに留学し、苦楽をともにしたから絆は強い。金正恩の登場以来、常にそばに寄り添い、秘書役を務めていた。米朝首脳会談などの公式行事にも付き添い、署名式では金正恩に公式文書や万年筆を渡す姿が、国際的にも報道されている。

金与正は、二〇二一年一月の党大会まで、労働党政治局員候補のポストにあったが、党大会で中央委員に降格された。中央委員の立場では、金正恩の側に寄り添う機会はなくなる。さらにこの党大会で、金与正に近いと見られた軍人、高官も更迭、降格された。

金与正は「革命の血統」を継ぐ人物なので、完全に排除されたり、追放されたりすることはない。だが金正恩の「与正離れ」ともみられるこの「降格」の動きは、今後、注目すべきだろう。同時に、この党大会で金正恩自身も「総書記」の座に就任することを発表した。英語表記は「President（大統領）」とされた。

なぜ金与正は「降格」となったのか。実は二〇二〇年四月以降、金正恩の権威と妹・与正の地位をめぐるおかしな事件が続発していた。真相はなお藪の中だが、情報を総合すると金与正勢力による「後継クーデター」が計画されたと囁かれる事態が起きていたという。結果としては「クーデター」は失敗し、金与正勢力が排除され、与正本人も金正恩から引き離されることになった、というのが実態のようだ。

一体、何があったのか。

第一章でも述べた通り、金与正は二〇二〇年六月十三日、開城工業団地にある「南北共同連絡事務所」の爆破を予告し、十六日に実行に移した。さらに、「対南敵対行動を軍総参謀部に指示」し、非武装地帯などへの軍部隊の移動を求めた。

これは権限濫用だ。彼女は当時、対南担当の統一戦線部第一副部長で、軍への権限は持たない。なのになぜ「軍総参謀部」に「対南敵対行動」を「指示」できるのか。

金与正は「金正恩委員長から付与された権限を行使する」と述べた。素直に事態を追うと、金正恩しか持てない「軍部隊への指揮命令権」を、妹の金与正が奪おうとした、とみえる。これが「穏健な権限移譲」ではなく、「事実上のクーデター」であることは、金与正の「指示」の直後に、「総参謀部報道官」が即座に出した声明を照らし合わせることで見えてくる。

「金与正親政クーデター」と「クーデター潰し」の応酬

参謀部報道官の声明にはこうある。

「開城工業団地、金剛山地区への軍部隊の展開、南北軍事境界線付近での軍部隊の展開を計画している。まとまれば、党中央軍事委員会に報告する」

かなり巧妙な声明だ。軍部隊を「展開する」とは言わず、「計画」があると言うだけで、決まれば党中央軍事委員会に報告する、と逃げている。「対南敵対行動」を指示した金与正の顔を立てながら、指示には従わず、責任を回避した格好だ。ここからは、軍内部に金与正の指示に対する反発があったことが読み取れる。

声明の裏を読むと、金与正には「軍総参謀部」を指揮する権限はないため、「党中央軍事委員会の決定が必要だ」と、抵抗している、ともとれる。軍総参謀長は、金与正の指示を拒否はせず、決定権を「党中央軍事委員会」に投げたことになる。

軍部隊を動かす権限をめぐり、統一戦線部第一副部長の金与正と、軍参謀部・総参謀長の朴正天《パク・チョンチョン》が、公開のやり取りでこうした不一致や、舞台裏を見せるのは、北朝鮮では異例だ。それほどに、この時期の北朝鮮指導部は混乱していたといえるだろう。

二〇二一年年頭の党大会で金与正が降格された一方で、朴天正総参謀長がその後も地位を保ち重用されているのは、この時の「クーデター封じ」の功績が評価されているためだろう。

軍指導部と金与正の権限をめぐる、誰の目にも明らかな混乱の背後には、金正恩の健康不安が浮かび上がる。

北朝鮮では、先の騒動に先立つ二〇二〇年四月十二日から五月一日までの二十日間、金正恩が姿を見せず、大騒ぎになった。その後も、断続的に活動が報じられない時期があったため、国内外で「金正恩の健康不安説」が広がった。

その最中の金与正の言動を受けて、「金与正後継者説」が日本でも報じられることとなった。この情報は北朝鮮側から伝えられ、韓国のメディアが流したものだ。北朝鮮の情報機関と韓国の情報機関は、かねて裏ルートの「情報交換」をしているが、この「金与正後継者説」は両者の〝合作〟ともいうべきもので、いわば大々的な「情報操作工作」が展開されたのである。

労働新聞の「不自然」な記事を読み解く

さらに奇妙なことが起きた。党中央軍事委が異様な行動を取ったのだ。そのことが、六月二十四日付けの労働新聞の記事から読み取れる。まずは記事を引く。

〈朝鮮中央委員会軍事委員会の**予備会議**が、六月二十三日に画像会議で行われた。朝鮮労働党委員長（当時）であられ、党中央軍事委員会委員長であられる金正恩同志が司会なさいました。

予備会議には、党中央軍事委員会副委員長の李炳鉄《リ・ビョンチョル》同志と、**一部委員たち**が参加した。予備会議では党中央軍事委に上程する各報告、決定書と、国の戦争抑止力をさらに強化するための各文書が研究されました。

軍総参謀部は、党中央軍事委に提起した対南軍事行動計画を保留しました〈**本社政治報道班**〉〉（強調は筆者による）

そのまま読むだけでは、この「奇妙さ」はわからないかもしれない。太字で記した記事中のおかしな表現に注目して、中身を精査していきたい。

まず、なぜ招集されたのが「予備会議」なのか。どうして「一部委員」だけが参加したのか。北朝鮮では、金正恩が命令すれば軍事委員全員が集まるはずだ。それなのに「予備会議」として「一部委員」のみが集まることは、通常はあり得ない。

さらに疑問なのが、「金正恩同志が司会なさいました」の表現だ。金正恩が会議に出席した場合は、これまでは「指導なさいました」の表現が使われた。それが「司会なさいました」になっている。「指導」の言葉をなぜ使えなかったのか、疑問は尽きない。

そもそも北朝鮮では、「最高尊厳（金正恩）」は党や軍を「指導する」存在であって、重要会議で「司会」や「参加」はしない。「参加」の表現は、部下の幹部に使われるもので、「最高尊厳」は、部下と同列ではないのだ。

文中の「画像会議」は、インターネット会議かテレビ会議を意味する。対面会議で軍事委員を集めることができなかったとすれば、これもまたあり得ない事態だ。金正恩総書記が地方にいたのか。軍事委を開かせたくない勢力がいたのか。招集を妨害されたのか。この「予備会議」の謎は、金正恩が何らかの理由で機能せず、党軍事委員会も開けなかった様子を示唆しているとみるべきだろう。

記事の末尾に添えられた「本社政治報道班」とのクレジットも不自然だ。記事は労働新聞の記者が作成したもので、党中央軍事委員会の発表ではない、ということを意味している。中央軍事委員会発表にできない事情があったのだ。記事は労働新聞一面でなく、二面に掲載されたが、これもおかしい。

北朝鮮で起きていた「玉音放送盤争奪事件」の様相

こうした疑問を前提に労働新聞の記事を素直に読むと、中央軍事委員会が発表文を出せないので、労働新聞の記者に書かせた事情が浮かぶ。予備会議を開催した人物が、労働新聞幹部を抱き込んで書かせたのか。正常な中央軍事委員会が開けず、報道をめぐる「争奪戦」の末、予備会議推進派が「中央軍事委員会決定」報道をさせたのだろう。

金与正が求めた「対南軍事行動」は否決された、と伝えていることにも大きな意味がある。事情を知るものがその後の人事等と併せてこの記事を読めば、金与正と彼女を担ぐ勢力が起こしかけたクーデターを阻止するために、軍事委副委員長の李炳鉄が予備会議の主催者として、懸命に走り回った様子が浮かび上がる。李炳鉄は、その後事実上のナンバー2として急浮上し、重要会議や式典で常に金正恩総書記に寄り添っている。

党軍事委員会がこの記事を労働新聞に掲載させ、金与正が指示した「対南軍事行動」の「保留」を「既成事実化」したのだ。報道された以上、反対派は抵抗できない。

つまりこの記事は、六月十六日の金与正による「対南敵対行動」宣言による「与正後継者推進クーデター」に対抗する「反与正親政クーデター」が、六月二十三日の夜に、平壌で展開されていたことを示している。

日本の終戦の際にも、戦争終結を受け入れたくない勢力が天皇の「玉音盤」を奪おうとした事件があった。こうした「玉音盤争奪戦」のような事態が、北朝鮮でも起きていたのではないだろうか。

北朝鮮軍人の「アリバイ作り」に加担した日本のテレビ

そのことを裏付ける「傍証」もある。

不可解な労働新聞報道の翌日に、金英哲副委員長（当時）が談話を出している。金英哲は、数々の粛清の危機を回避し、生き残ってきた世渡りの天才である。

金英哲は、「中央軍事委予備会議」の二十四時間後の二十四日夜に、韓国国防大臣を非難する「談話」を突然発表した。夜中に朝鮮中央通信に流させた事情が、その慌てぶりを物語る。

その内容は「中央軍事委予備会議が対南軍事行動計画を保留した」ことを強調し、「挑発するな」と韓国の国防大臣を叱り付けるものであった。ほとんど中身がなく、夜中に慌てて出す必要もない。

そもそも、彼は韓国の国防大臣を相手にする役職ではない。かろうじて、過去に対南政策の責任者であった程度だ。その立場を利用して「談話」を発表した。なぜ、金英哲は出す必要のない「談話」を、こうも慌てて発表したのだろうか。おそらく、金英哲は前夜の「軍事委員会予備会議」に呼ばれなかったか、参加しなかったのだろう。そのため、急遽発表した談話を通じて「中央軍事委予備会議の支持」を表明したのだ。

この「夜中の発表」に、平壌の軍や党の高官たちは唖然としただろう。金英哲は、「与正派の筆頭」と見られていたからだ。つまり、本人は生き残るために「予備会議支持派」に寝返り、そのことをアピールするために談話を発表したのだ。平壌で「世渡り上手と裏切りの天才」といわれるだけのことはある。

この「金英哲談話」にはさらに不可思議なエピソードもある。日本のあるBSニュース番組は、六月二十四日夜遅く「金英哲談話」を報道した。大したニュースでもないのに、だ。しかも、金英哲が軍の「大将服」を着た古い映像を使っていたのには、思わず苦笑した。この時点で金英哲はすでに軍を退役していたのに、こんな映像を使っては、視聴者を惑わすことになりかねない。

なぜこの番組は、ニュースバリューのない「金英哲談話」をわざわざその日の夜のうちに報道したのだろうか。金英哲の宣伝のために、意図的に出したと判断しても、うがちすぎではないだろう。この番組は、時々つまらない北朝鮮ニュースを大きく流す。

こうして日本の報道機関までも事実上〝利用〟して「反与正会議支持」を表明した金英哲だったが、時すでに遅し、であった。二〇二一年一月の党大会で、金英哲は党副委員長から政治局員に降格された。彼の仲間と見られる軍人たちも次々に更迭された。

危惧される金正恩の健康状態と消えない噂

金英哲の行動からは、もう一つの可能性が指摘されている。まず、金英哲が慌てて立場を表明せざるを得なくなった裏には、今回の「反与正クーデター」の黒幕がいる、との分析だ。金英哲も抵抗できない軍の長老が、「中央軍事委予備会議」を実行させた、との見方がある。

実は、「予備会議」を主催した軍事委員会副委員長の李炳鉄は、空軍の出身で陸軍至上主義の北朝鮮軍では少数派だ。それが「反与正クーデター」に出る以上、大物の後ろ盾がいなければ不可能だ。

該当する人物は、空軍の大先輩で軍最大の長老である、呉克烈《オ・グンニョル》将軍しかいない。彼は九十歳を超える高齢だ。

もう一つ、大きな疑問がある。日本では、ほとんど報じられなかったが、労働新聞が六月上旬に、「党中央」に言及する記事を報じていた。記事そのものは、何を言いたいのかはっきりしない論旨だったが、最後に唐突に「偉大な党中央と思想と考えと歩みも共に」の表現が出てきた。党中央とは、北朝鮮では「後継者」を意味する固有名詞だ。

この「党中央」報道が、一回だけならともかく、三回も労働新聞で報じられた。平壌では「(金正恩の)後継者が決まった。指導者の健康状態はそれほど悪いのか」と、噂がたちまち流れた。

一連の報道と金与正の対南強行言動を考えると、金正恩の健康不安に乗じ、金与正を「後継者」として押し立てる動きがあったことが読み取れる。対南強行策で韓国に謝罪させ、それを成果に金与正を「後継者」に押し立てる勢力がいたのだ。中心は金英哲副委員長しか考えられない。

それが、軍の主流と長老によって阻止された「クーデター騒動」ではなかったのか。

いずれにしろ、秘密と真実が明らかにされるには、時間がかかるだろう。

金正男暗殺が脅かす北朝鮮の東南アジア外交

血を分けた身内ですら、心からの信頼を寄せることはできない。北朝鮮の「革命の血統」に生まれた者たちは、そうした宿命を負わざるを得ないのか。

だがその宿命が、外交関係、ひいては国家の存亡にまで影響することもある。

二〇一七年二月十三日、金正日の長男で、金正恩の腹違いの兄である金正男が、マレーシアのクアラルンプール国際空港で暗殺された。その衝撃的なニュースは、暗殺時の一連の防犯カメラの映像とともに、世界中を駆け巡った。

マレーシア警察は、北朝鮮工作員の犯行と断定。工作員は犯行直後に出国していたが、犯行計画を練った工作員が空港にいたベトナムとインドネシアの一般女性を「暗殺実行者」として利用した。「YouTubeでドッキリ映像を流すため」と口説き、殺害させたのである。

マレーシア、ベトナム、インドネシアに加え、ラオス、カンボジアの五か国は、北朝鮮と相互に大使館を設置する重要国だった。特にマレーシアは、北朝鮮にとって東南アジア外交と工作の拠点で、ビザなし入国が可能な関係にあった。

アメリカは暗殺にＶＸガスが使用されたことを重視し、「化学兵器を使用」したと認定、北朝鮮に新たな制裁を科した。また、さすがの中国も不快感を示した。北朝鮮はこの時点で、ミサイル発射や核実験によって厳しい国連制裁を受けていた。金正男暗殺は、国連制裁の実行を容易にし、北朝鮮経済、ひいては人民を苦しめることとなった。

国連安保理決議がなされると、多くの国で対北経済制裁が実行に移された。二〇一七年の国連制裁は、原油と石油製品輸入を半減させる大幅な制限を加えたため、特に北朝鮮軍の訓練や防衛作戦に支障が生じた。東南アジア諸国との関係が悪化し、入国規制や送金監視などの取り締まりも一段と厳しくなった。

まさに干上がる寸前だったが、ここへ舞い込んできたのがトランプとの米朝会談だったのである。金正恩にとっては、渡りに船だったと言うべきだろう。トランプは会談場所にシンガポールかジュネーブを考えていたが、北朝鮮はシンガポールを選んだ。その理由は、ＡＳＥＡＮ諸国との関係改善にあった。シンガポールを米朝会談の舞台に選んだことで、ＡＳＥＡＮ諸国はこれを歓迎、シンガポール政府は首脳会談費用を負担すると発表したのである。

米朝会談のおかげで、北朝鮮と東南アジア諸国の外交関係は、正常な状態に戻ったのである。また、国連安保理も、その後の大きな追加制裁は科せられなかった。

シンガポールでの首脳会談は大成功をおさめ、北朝鮮に大きな成果をもたらしたが、その喜びは長くは続かなかったことは、これまでも述べた通りである。

北朝鮮が乗り切ってきた「国家崩壊」六回の危機

北朝鮮が「自壊状態」に陥るのはある意味いつものことで、金日成、金正日が死去した際にも、それぞれ「北朝鮮がまもなく崩壊する」との言説が飛び交った。だが、今なお北朝鮮は国家として存続している。

その理由は、北朝鮮という国家の存在を、中国と韓国が必要としているからである。

国家はどのように崩壊するのか。近代史では、清は国際社会の発展に追いつけず、崩壊し、日本は明治維新によってかろうじて世界史上の先進国グループにしがみついた。朝鮮半島には百済、高句麗、新羅、高麗、そして朝鮮という王朝が誕生したが、いずれも崩壊した。近世でも中国の属国だった朝鮮王国は、当時世界で最も遅れた国家であり、近代化の発展からふるい落とされ、崩壊した。

現代の北朝鮮も、同じように世界の歴史発展の最後尾にしがみついている。韓国は経済成長を遂げ、表面上こそ先進国的だが、次章で見るようにアイデンティティ探しに悩んでいる。文在寅のような左派は、「金日成主義左翼」として北朝鮮に正統性を求め、「南北統一」に邁進しているため、韓国左翼も北朝鮮が崩壊すれば自壊する運命にある。

歴史の最後尾にいる北朝鮮は、すでに家は傾いているが、核開発をつっかえ棒として何とか全壊を防いでいるような状態にある。やがて、世界史の重みと国際社会の発展に、耐えられなくなるだろう。

北朝鮮はこれまでに少なくとも六回の「国家崩壊」の危機に瀕している。

①朝鮮戦争　②ニクソン訪中　③ソ連東欧の社会主義崩壊　④韓国とソ連の国交正常化

⑤一九九二年の北朝鮮軍のクーデター計画　⑥トランプ大統領の北朝鮮攻撃覚悟表明（二〇一七年十一月のトランプ訪中時）

このうち、⑤の一九九二年のクーデター未遂事件は、旧ソ連と東欧諸国の崩壊を受けて起きたものである。いよいよその波が北朝鮮を襲うのではないかという危機感や不安が事件を引き起こした。その後、大水害と食糧難で多くの餓死者も出した。この時の北朝鮮を救ったのは、国際的な食糧支援と、韓国・金大中大統領による「太陽政策」だった。

また、国家崩壊の危機とまではいえないものの、中国との関係は北朝鮮にとって常に死活問題となっている。北朝鮮は中国からの援助と支援なくしては生きられないが、中国は北朝鮮の世襲体制を「社会主義的でない」として批判してきた。

金日成が存命中に中国指導部を説得し、鄧小平から「朝鮮は儒教国だ。社会主義は世襲は認めないが、儒教国家として一度だけ、世襲を黙認する」と言われたという。

金正恩は中国とのパイプ、外交窓口とされていた叔父の張成沢《チャン・ソンテク》を粛清したため中朝関係は一時悪化したが、その後は関係を改善し、二〇一八年三月に初の外遊先として中国を訪問、ようやく習近平との会談に臨んでいる。

中国に「生かされて」来た北朝鮮の反撃は吉と出るか

制裁の穴をかいくぐっての支援など、中国は北朝鮮を陰に陽に支えているが、これはひとえに「中国よりも民主化されていない国が必要だ」という中国の思惑によるものである。中国よりも人権を軽んじる国があることは、中国への批判を減じることになる。なにより、北朝鮮が崩壊して韓国に吸収されるようなことは避けたい。アメリカの同盟国である民主主義国と国境を接するのはまっぴらごめんだからだ。

だがこれだけ中国が強大化した今、朝鮮半島との経済・軍事格差が広がり続ければ、朝鮮半島は中国に取り込まれるか、崩壊するかを迫られることになる。中国が覚悟を決めて北朝鮮との国境を開放すれば、自動的に北朝鮮は崩壊に向かう。あるいは経済制裁が続く中、中露からの支援が途絶えれば北朝鮮軍が持たない。

だが朝鮮人は、世界一プライドの高い国民だ。いまさら中国の属国になるのは受け入れがたいだろう。金日成の「主体思想」は、中国からの独立を維持するために生まれた思想だ。それを捨てれば、北朝鮮は「正統性」を失いかねない。

それでも中国が発展し、市場経済化、改革開放によって豊かになれば、北朝鮮にも変化を求める波がやってくる。二〇二一年一月、金正恩が事実上の「市場経済化宣言」を行ったのも、こうした変化の波を感じてのことではあるまいか。

だが、それが吉と出るか凶と出るかは、金正恩以下北朝鮮指導部と国際社会の対応にかかっている。

第五章

半島崩壊——韓国左翼の場合

ソウルの日本大使館前での抗議集会
写真・Penta Press／時事通信フォト

韓国に日本についての学問の自由はない

朝鮮半島は儒教国家である。北朝鮮は「儒教社会主義」の「全体主義国家」だ。韓国は「儒教的民主主義」で、自由民主主義国家とはいえない。というのも韓国では今も日本についての言論の自由は尊重されず、学問の自由も著しく制限されているからだ。

例えば、世宗大学の朴裕河《パク・ユハ》教授は、慰安婦問題を政治や運動から切り離し、あくまでも元慰安婦の女性と向き合い、事実に即して何が起きたのかに焦点を当て、検証した。娘を売った両親や、女性を買った業者など「韓国人側」の責任にも向き合った。そうして書いた『和解のために』（平凡社ライブラリー、二〇〇六年）や、『帝国の慰安婦』（朝日新聞出版、二〇一四年）などは、ハーバード大学の入江昭教授などから「学問的な水準も高い」との評価を受けている。

だが韓国社会では激しいバッシングを受け、元慰安婦らから名誉棄損で訴えられる。ソウル高裁は二〇一七年に朴教授に対する有罪判決を言い渡している。それでも学問の真理を曲げない朴教授は勇気ある韓国人女性だが、精神的負担はいかばかりだろうか。

ハンナ・アーレントは『全体主義の起源』（みすず書房）で、全体主義とはどのような体制なのかを示す、いくつかの条件を挙げている。端的にいえば「個別性を殲滅」する思想であり、イデオロギーを強要し、プロパガンダに従わせ、秘密警察、政治犯収容所が設置される国家体制を「全体主義的国家」という。

北朝鮮は秘密警察や政治犯収容所の存在があり、全体主義の条件に当てはまる。韓国には自由選挙制度や言論の一定の自由はあるものの、日本に融和的な異分子を許さない「反日全体主義社会」だ。

また、儒教国家である韓国と北朝鮮は、政治における「正統性」と「大義名分」が最大の価値を持つ。韓国と北朝鮮、分裂した朝鮮半島の二つの国の最大の焦点は「どちらの国に国家としての正統性があるか」の一点に尽きる。

韓国の「終わらないアイデンティティ探し」の旅

日本人には理解しづらいが、国家の成立と維持には「国民共通のアイデンティティ」が必要だ。言い換えれば「連帯意識」や「プライド」「国民意識」、あるいは「民族主義（ナショナリズム）」となる。

世界的な政治学者のベネディクト・アンダーソンは、『想像の共同体』（書籍工房早川、二〇〇七年）でアジアにおける民族主義と国民国家の成立過程を「想像の共同体」と表現した。この論理に従えば、文在寅が推し進める「反日政策（徴用工問題・慰安婦問題）」は、韓国にとっての「想像の共同体作業」による「ナショナリズムづくり」ともいえる。ありもしない問題をことさら民族の団結に使う「想像の反日主義」といってもいい。

通常、各国の民族主義は文化や歴史に根差した自然発生的なものが中心になる。ところが、近代国家の場合には国民の共同体としての「意識」が必要だとアンダーソンは分析した。

近代になって誕生した国家である北朝鮮は、「金日成主義」がアイデンティティだ。日本帝国主義と戦闘し、勝利したというプライドが、国家意識を支えている。一方、日本と戦わないまま終戦によって独立した韓国は、一九四五年以来、この「アイデンティティ探し」を続けている。「反日幻想」をアイデンティティにしようとするのは、「アイデンティティ喪失」の一症状といえる。

一方、北朝鮮には「反日アイデンティティ」はない。国家の正統性があるため、北朝鮮には「反日民族主義」は必要ないからだ。だが残念ながら韓国は「正統性」を喪失しているため、「アイデンティティ」も喪失している。

そのため、なんとか「反日」でまとまろうとするし、北朝鮮との統一も「反日アイデンティティ」で保てるのではないかと考えている節がある。中には、「反日」で日韓関係が悪化すれば、北朝鮮が有利になると考える「親北派」もいる。日本人にはなかなか理解できない病理である。

金日成は美濃部亮吉・東京都知事と会見し、こう述べている（『世界』（岩波書店）一九七二年二月号）。

〈先ほど美濃部先生が、戦前に日本人が行ったことについて朝鮮人民に詫びるといわれましたが、日本人民としてはわれわれに詫びることはありません。日本人民が朝鮮人民を侵略したのでもなく、朝鮮を侵略したのでもありません。それはあくまで日本帝国主義反動集団のしたことであって、日本人民がしたものだとは考えておりません。

もちろん、宗主国であったため、そのような、すまないという気持をいだくかも知れませんが、朝鮮人民も、日本人民も、人民はすべて善良でよい人民であるため、朝鮮人民と日本人民の間には、謝罪すべきこともなく、敵味方になるはずもありません。あるとすれば、日本帝国主義者がおかした犯罪的な行為があるだけです〉

当時、こうした日本の過去を問わない金日成の姿勢にほだされた日本人も少なくなかった。金日成はなかなかの知恵ものだったといえる。

だがこうした「赦し」の思想が、韓国にはない。日本人を赦さないだけでなく、日本の植民地下で苦労した同胞をも「親日」「裏切り者」と攻撃し続けたのである。

韓国は人口の3割がキリスト教徒という国だが、聖書が教える「赦しの信仰」を否定する。聖書の預言者たちは時に厳しい言葉を語りながらも、同胞への強い連帯感を持ち、神の赦しを求めた。だがそうした解釈を韓国のキリスト者は理解しないようだ。ひとたび敵とされた相手を、悪魔とみなし蛇蝎《だかつ》のごとく嫌う。日本人が敵なのはもちろんだが、同胞でも、日本に協力したものは許さない。

過去にさかのぼって「親日」を罰する韓国の病理

文在寅が弁護士時代、秘書として仕えた盧武鉉は、大統領就任中の二〇〇五年に「親日反民族行為者財産の国家帰属に関する特別法」を成立させた。韓国独立までの間に、日本に協力して財を成したものなどの子孫に当たる人々の財産を没収するという法律だ。先祖の行いにまでさかのぼって罰を下すという、法の不遡及の原則を覆すものであると同時に、対日協力者の末裔となれば二代目、三代目でも罰するという「赦し」のない法律が、韓国では成立してしまう。

こうした思想が、韓国社会の世代間対立と分裂を招いた。日本植民地時代に教育を受けた「植民地世代」は、「ハングル世代」を自称する独立後の教育を受けた若い世代から「日本語は話せても、韓国語は書けない」などと散々、バカにされた。旧世代を差別する若者たちの中には、旧世代が「日本統治時代にはいいこともあった」などと言おうものなら、文字通り袋叩きにしたものもいた。そうした暴力事件で命を落とした「植民地世代」の老人もいる。

その後も、韓国では一九六〇年の学生革命を経験した「4・19世代」、一九七四年四月の大統領が発した緊急措置により中央情報部（ＫＣＩＡ）によって拘束された学生たちと同世代の「民青学連世代」、一九九〇年代に三十代で、一九八〇年代の民主化闘争に関わった一九六〇年代生まれの「民主化闘争世代」と「386世代」、二〇〇〇年以降の熾烈な学歴競争社会にさらされ、名門のS＝ソウル大学・K＝高麗大学・Y＝延世大学を卒業した若者を指す「SKY世代」と次々に多くの世代に名称がつけられた。

この背景には、一九七二年以後の朴正煕政権の独裁政治がある。憲法の規定に背いて退任せず、憲法改正で長期政権に突き進み、多くの犠牲者と悲劇を生んだ。そしてこの政権をめぐるスタンスが、今も韓国国内の政治を二分していることはのちに触れる。

各世代間には、連帯よりも対立が生じる。こうした世代分裂は、「韓国人」としてのアイデンティティ探しに苦悩しているさまを物語る。

韓国民の多くが「アイデンティティ喪失症」にかかっている。アイデンティティが見つからないために、安易に「想像の反日主義」に飛びつくのだ。

韓国が陥った「アイデンティティ・クライシス」

このことを思い知った経験がある。

わたしは毎日新聞入社後の一九七五年に韓国の大学に留学した。新聞記者としては、朝日新聞の小栗敬太郎さん（のちに編集局長）に次ぐ、二人目の韓国への留学生だった。卒業後ではあったが、出身の早稲田大学と高麗大学の交換留学制度を利用させてもらったのだ。

当時、早稲田大学の学生は誰も韓国に留学しなかった。当時の韓国といえば、貧しく、暗いイメージだった。地上の楽園といわれた北朝鮮とは対照的に、否定的な言説が飛び交っていた。そんな中、韓国に留学したことで社内では「韓国の手先」と悪口を言われたこともあったが、特ダネを書いたことで風向きが変わった。新聞社は、仕事さえできれば公平な会社である。

新羅ホテル近くの学生寮（学生会館）で、在日韓国人の金晃《キム・ファン》さんに出会った。大阪出身でソウル大学大学院史学科の学生であり、KBS（韓国放送公社）で国際放送の仕事をしていた。

彼は韓国の歴史について、多くを教えてくれた。夜な夜な議論を交わす、わたしの韓国史の先生だった。

金晃さんは、次のように語ってくれた。

「日本人は、在日の心を知らない。在日は、自分のアイデンティティに悩んでいる。韓国人なのか、日本人なのか、あるいは在日という存在なのか。自分の『根っこ（ルーツ）』を確認したいと思い、留学した」

「だが、韓国に来てみると、韓国人自身が、在日以上にアイデンティティ・クライシスに直面している事実を知らされた。この国の歴史研究の原則は、日本人のメガネで歴史を見ないことだ。植民地時代の朝鮮史研究は『植民史観』として否定される。つまり植民地主義を正当化するための研究とみなされるため、日本人の研究は全否定だ」

「民族史観の主唱者は、延世大学の洪以燮《ホン・イソプ》教授だ。ソウル大学で最近（一九七五年当時）、日本史の専門家を育てることにしたが、日本に留学させず、米ハーバード大学に留学させた。日本人のメガネで歴史を見ないとの原則ゆえです。おかしな話でしょう」

「韓国人は世代間の対立が激しく、共通のアイデンティティを形成できない。戦後生まれの解放世代は、植民地時代を生きた韓国人を批判する。日本帝国主義に協力し、独立闘争をしなかったからだ。だから、朴正熙大統領も日本の協力者として非難する」

「韓国民には、世代を超えた共通のアイデンティティがない。どちらかというと、韓国民としての共通のアイデンティティは、朝鮮戦争の被害者としての意識だった。これが『反共民族主義』のアイデンティティだ。だが、権力が体制の引き締めに利用したから、信用されない」

確かに当時の韓国は、反共民族主義と反日民族主義がアイデンティティの二本柱だった。ただし、当時は反共民族主義が強く、反日民族主義はまだそれほどでもなかった。北朝鮮の脅威を考えると、日本の支援は必要だったという事情もあろう。

北朝鮮に国家としての正統性を奪われた韓国

金晃さんの話は、続く。

「最大の問題は、『正統性クライシス』だ。国家の正統性は、北朝鮮にあるとの劣等意識がある。それが逆に北朝鮮への憧れを生んでいる。大韓民国には正統性はなく、北朝鮮に正統性があるとの反体制派（左翼）の主張には説得力がある。根本的な問題は、国家の正統性喪失と国民のアイデンティティ喪失だ」

「韓国民は独立以来、国家と個人のアイデンティティ探しの旅を続けている。永遠に終わらない旅だ。だから時折、反日感情を発散させて、旅の休息を取る」

北朝鮮は、金日成主席が日本帝国主義と戦闘し、勝利した。だから、国家の正統性がある、との主張は説得力があった。一方、韓国の指導者には、日本帝国主義と「戦闘」した人も、「勝利した」人もいない。だから、国家の正統性に欠ける、と考えるのだ。

こうした「アイデンティティ喪失症」の作用として、現代韓国の壮年層は、かつて学生時代に北朝鮮の「正統性」に憧れた経験を持つものが多い。特に韓国の左翼にとって、北朝鮮への憧れは思想の源泉になっているといっていい。彼らを「金日成主義左翼」と呼ぶのはそういうわけだ。

そんな韓国左翼、「金日成主義者」の典型が、現大統領である文在寅だ。

文在寅や文在寅政権を、日本では「左翼政権」、あるいは彼らに同調的な日本人特派員などは「進歩派」「革新派」と呼ぶ。しかし文在寅の政策は、進歩や改革に基づくものではない。その実態は北朝鮮に忖度し、配慮する「金日成主義左翼」である。

文在寅政権は、北朝鮮からの亡命を求めた人々を「犯罪者」として北朝鮮に送り返した。第一章でも述べたように、脱北者団体による「北への体制批判ビラ」の配布を法律で禁じてもいる。日本では左翼＝リベラルというイメージを持ちがちだが、韓国の左翼は日本の左翼とは全く違って、マルクス主義者ではない。韓国の左翼は極左から中道まで幅広いが、中心は金日成の「正統性」に憧れ、同調する「金日成主義者」だ。

日韓対立を煽るのも、それが「南北朝鮮をひとまとめにするための反日アイデンティティ」になりうると考えるためだけでなく、日韓対立がひいては北朝鮮を利することになると考えての行動である学者や政治家、運動家も少なくない。

韓国左翼は北朝鮮とともに滅ぶ運命

文在寅はまさに典型だが、韓国の左翼はマルクス・レーニン主義者（共産主義者）ではない。毛沢東主義者でもない。左翼は〝隠れ朝鮮労働党員〟や工作員、北朝鮮に憧れる「金日成主義者」が中心だ。

日本の左翼は、理論的・精神的支柱だったソ連が崩壊し、壊滅した。日本独自の社会主義思想ではなく、借り物だったために、本家が倒れたことで寄る辺を失ったのである。韓国の左翼は、その寄る辺を北朝鮮に求めているため、ソ連が崩壊しても、中国が市場経済に踏み切っても、北朝鮮がある限りは生き残る。だが、北朝鮮が崩壊すれば自壊する運命でもある。

前章で、北朝鮮の崩壊について見たが、韓国の左翼は仮に南北統一がなったとしても、消滅の憂き目に遭うだろう。

仮に韓国主導で南北統一が成ったとしよう。その後、韓国民や北朝鮮人民の間で、「なぜ韓国政府は自由を抑圧された同胞を救出しなかったのか」との批判が噴出する。これを「反日」という統一アイデンティティで封じることは不可能だ。国内は大混乱になり、人権抑圧国家である北朝鮮にシンパシーを覚えていた韓国左翼は消滅するほかなくなる。

文在寅政権は発足以来、左翼政治を優先させ、経済戦略や庶民の期待を無視し続けている。「財閥解体」を掲げ、財閥のオーナーを次々に逮捕した。さらに韓国の大学図書館は、日本の古書店から日本の左翼学者や運動家の書籍を大量に購入したという。かつて進歩派がアカデミズムや報道の主流だったころの日本に学ぼうという姿勢だろうか。

だが文在寅政権の左派高官には、裕福な家庭で育ち、「金日成主義」に傾倒しながら育った者たちが多くいる。一方で、保守政権下で最下層の貧しい家庭に生まれ、韓国社会の底辺で生き抜いてきた若者たちも、左翼組織に加わった。韓国の左翼は、韓国社会のひずみと貧しさが生み出した勢力でもある。

「大韓民国建国は間違いだった」とする韓国左派

当の文在寅は、朴正熙暗殺の翌年に当たる一九八〇年に慶熙大学を卒業したが、当時、学生の間でベストセラーになったのが『解放前後史の認識』（未邦訳）だ。わたしは当時、ソウル特派員として現地にいて、この本の存在を知った。

「解放前後史」とは、日韓併合の一九一〇年から、朝鮮戦争が始まる一九五〇年を指す。この期間に限って歴史をとらえれば、日本帝国主義を徹底して攻撃することができる。一方、一九一〇年以前は、朝鮮王朝や大韓帝国皇帝のあまりの能力のなさと、国際政治に翻弄される韓国指導層の歴史責任が問われることになる。そうした自国の責任を無視し、すべての原因を日本に押し付けるには、一九一〇年以降でなければだめなのだ。

『解放前後史の認識』は全六巻からなるシリーズで、朴正熙大統領が暗殺された一九七九年から一九八九年まで、十年にわたって刊行された。内容的には時代遅れのものが多いが、これが当時の韓国の水準だった。何より、韓国は一九八七年から民主化されたが、このシリーズ本は民主化運動に大きな影響を与えた。

大韓民国の「正統性」と韓国人のアイデンティティに疑問を投げかけ、国家の正統性を疑問視する知識人が多く投稿。左翼学者だけでなく、中立的革新系学者も参加した。

第一巻は、新聞記者出身の宋建鎬《ソン・ゴンホ》がまとめた。宋建鎬は、朴正熙政権批判を展開した著名なジャーナリストである。宋建鎬は一九四五年の独立と大韓民国設立を「間違った建国」と書いたが、当時の知識人の間では、必ずしも過激な主張ではなく、むしろ常識と正義感ある知識人の多くはそう考えていた。

韓国の若者たちが罹った「金日成主義という〝はしか〟」

一九八〇年代後半といえば、日本や欧州諸国ではすでに共産主義や社会主義への幻想が消えつつあった。どうやら社会主義国は、人権を尊重せず言論の自由もなく生活も貧しい、とわかってきたためだ。一九九一年のソ連崩壊は、その「幻想の消滅」を決定づけた。

だがそのころ、韓国ではようやく社会主義に関する書籍の刊行が解禁された。そのため、それまで禁止されていた思想に憧れる「社会主義幻想」が高まっていたところに『資本論』や『共産党宣言』に触れる機会が到来し、「幻想への憧れ」が花開いた。韓国はどこまでも、世界史の流れに乗り遅れていたのだ。

韓国は一九四五年からの三年間、米軍に支配された。日本がマッカーサー将軍のGHQに支配されたのと同じ構図で、韓国では「米軍政の時代」と呼ばれる。社会主義幻想に遅れて触れた一九九〇年代の若者たちは、その時期に米軍に取り入った李承晩などの腐敗した政治家が、親日派を登用し反共主義を掲げ堕落した、と糾弾した。

著名な歴史学者である姜萬吉《カン・マンギル》教授は、『分断時代の歴史認識』（学生社、一九八四年）で知られた。彼は、植民地時代には「民族解放」が韓国民に与えられた使命であり、南北分断の現在は「民族統一」が歴史の課題だ、と主張した。歴史学者としてはまっとうな論議だろう。この理論は、韓国左翼を支える理論になった。当時の韓国政府には、統一理論や統一政策はなかったのである。

わたしが留学した高麗大学での指導教授の一人であった李昊宰《イ・ホジェ》教授は、「分断の原因は、先に分断、後で統一を考えた李承晩と金日成がいたためだ」と書いたが、これがもとでＫＣＩＡ（韓国中央情報部）に連行された。朴正熙時代の韓国では、安易に「統一」に言及すると、北朝鮮の手先と疑われ、拘束されたのである。

ことほど左様に、統一に言及するのは、危険な時代だった。当時の統一提案と政策は北朝鮮の方が「高麗連邦制」「全民族会議」など理論的で観念的な統一を主張し、学生の心をつかんだ。一方、韓国は、離散家族の再会や手紙の交換などの現実的な交流方策を提案した。

姜万吉教授の論理に従えば、韓国には「民族解放」に人生を捧げた人物はいない。上海に置かれた、大韓民国臨時政府の金九《キム・グ》や呂運亨《ヨ・ウニョン》、李承晩らは、内輪の勢力争いにかまけ、喧嘩ばかりしていた。派閥争いが激しく、欧米諸国は亡命政府と認めなかった。軍事的な戦闘もしなかったので、対日戦勝国にはなれなかった。姜萬吉理論では、民族解放の使命を果たしたのは、金日成と北朝鮮になる。だが、韓国では、民族解放に貢献した人物はいない。北朝鮮は、独立後は統一を呼びかけていたが、「統一は歴史の使命」

とする姜萬吉教授の主張は、同時に北朝鮮の正統性を示していたことになる。

当時の韓国の若者たちはこうした「金日成主義の〝はしか〟」に罹《かか》ったのである。

あらゆる虚言をもてあそんだ日韓の「北朝鮮主義者」たち

金日成主義を、一時的にわずらったとしてもすぐに治り、免疫をもたらす〝はしか〟とみなすなら問題はなかった。だがむしろ金日成主義こそ正統なものとみなす風潮は、朝鮮戦争に対する認識さえも見誤らせた。

朝鮮戦争を北朝鮮は「アメリカと韓国が攻めてきたことで始まった」と現在も主張している。また、朝鮮戦争を「南朝鮮解放戦争」と解釈する。

韓国でも、北朝鮮の主張に合わせた論理が展開された。同じ民族同士で殺し合う戦争を始めた金日成の戦争責任は問われなかった。

この根拠によく使われたのが、ブルース・カミングスの『朝鮮戦争の起源』（明石書店）だ。カミングスは、「朝鮮戦争は日本帝国主義の崩壊後に、国家統一のために必要な内戦であり、革命戦争だった」として北朝鮮の主張を弁護した。「三十八度線での小規模戦闘が拡大した」として、金日成の戦争責任を「免責」している。韓国だけでなく日本でもこの「カミングス説」は支持され続けた。

だが、冷戦後、ソ連崩壊によって公開されたソ連の公文書によれば、金日成が当初から朝鮮戦争を企図し、ソ連・スターリンと中国・毛沢東の支持を取り付けたことが明らかになっている。カミングスの説は全面否定されたことになる。

しかし、「カミングス説」を展開したり、さらに敷衍《ふえん》して「朝鮮戦争は『戦争』ではなく、あくまでも『内戦』だ」とする主張も今なおある。内戦だったのだから、国連軍は介入すべきでなく、特に米国の介入は大きな間違いだったとする。だがこれは妄言に過ぎない。

北朝鮮を支持する人たちは、日本人であれ韓国人であれ、あらゆる「虚言」をもてあそんだ。建国当時の北朝鮮を「革命的な民衆の国家」と位置づけ、「南朝鮮を解放するための『民主基地』である」とまで擁護する向きもあった。

これらはすべて北朝鮮の論理を借用したものであると同時に、韓国の正統性を否定する論理でもあった。こうした論理を本で学んだ学生が教師になり、小学校で「朝鮮戦争は、アメリカと韓国が始めた」と教えた例は、当時の韓国でニュースにもなった。

そしてこうした論理を存分に吸収した世代が政治家にもなった。そのうちの一人が文在寅である。だから彼らは「アメリカと韓国が始めた朝鮮戦争の結果、韓国に残ってしまった在韓米軍の撤退」に前向きなのだ。

韓国内の保革対立が激化する最大の理由

このように、韓国に「正統性がない」のに対し、北朝鮮には「正統性がある」ことになってしまうのは、指導者に儒教的正義＝正統性を求める朝鮮半島の性質ゆえである。『解放前後史の認識』世代は、北朝鮮の正統性に憧れ、「植民地世代」の人々を批判した。後者の象徴が、当時の朴正煕大統領だった。

朴正煕は、満州軍官学校の出身で、日本の陸軍士官学校を卒業した。日本軍に所属していた過去を、反朴派は「日本帝国主義の手先であり、親日派」と批判した。

日本人の価値観でいえば、朴正煕は尊敬される人物だ。「漢江の奇跡」で韓国を貧しさから救い、近代化を実現した。今日の韓国の発展があるのは、間違いなく朴正煕のおかげだ。当の本人は「貧しい家庭から大統領になれたのは、皮肉にも教育を重視した日本人のおかげだった」と大統領府取材の記者たちに語ったこともある。

日本社会は出身・出自・階層に関係なく、教育を受けた優秀な人物なら、出身階層を問わず受け入れる。中根千枝教授が『タテ社会の人間関係』(講談社現代新書、一九六七年)に書いた通りだ。

だが韓国では、もとより「両班《ヤンバン》出身かどうか」で人間を評価する向きがあった。「両班」とは、朝鮮王朝の支配階級のことで、出自が人物の評価に大きくかかわった。朴正熙は「両班の家系ではない」と批判された。さらには「植民地世代」出身という点も重なって、朴正熙の「正統性」が左翼から否定されたのは、韓国の伝統的政治文化に根差すところが大きい。

このことひとつ見ても、韓国左翼を「進歩派」とするのは無理があるとわかるだろう。『解放前後史の認識』を読み込んだ文在寅の世代は、北朝鮮の「正統性」に憧れ、韓国の政治、経済、社会状況に失望した。だが、対抗軸にできる思想や政治体制を得られなかった。そのため、北朝鮮と、その「金日成主義」に傾倒したのである。

朴正熙大統領は、確かに韓国経済を発展させたが、政権末期は独裁体制に堕落した。そのことは事実である。言論弾圧を徹底し、反体制の学生を虐殺し、民主主義に反する行動をとった。

日本でも二〇二一年に公開されたイ・ビョンホン主演の映画『ＫＣＩＡ 南山の部長たち』ではこうした朴正熙政権末期の雰囲気と、朴正熙暗殺に至る経緯をフィクションながら描き出している。

文在寅政権は、朴正熙に弾圧された学生たちに通じる思想を持った人たちによって構成されており、「独裁的」な朴正熙時代を全否定する。だが、一方で北朝鮮の独裁体制を批判することはない。言論の自由の抑圧や、政治犯収容所、公開処刑といった実態を一切、問題視しない。

日本の感覚で文在寅政権を「左翼」「革新派」であるととらえてしまうと、実態とのずれが生じてしまうのはこういう理由がある。

「赦しの信仰」なき韓国キリスト教

韓国の政治スタンスを二分する「親朴正煕」「反朴正煕」という二項対立は、今も長い影を落としている。これは儒教文化の特質でもある「両班支配体制」を、朴正煕が破壊したからだ。

「親朴正煕」派から期待されて二〇一二年の大統領選の勝利で誕生したのが、娘の朴槿恵政権だった。朴槿恵の熱烈な支持者は、朴正煕と同じ慶尚北道出身の有権者だった。父を信奉するのと同じように、娘を強く支持した。

だが、朴槿恵政権は国民から見放された。修学旅行生を乗せた大型客船「セウォル号」沈没事故で学生を救出できなかったばかりか、「空白の七時間」といわれる事故対応時の不在などで厳しく批判された。

閣僚や高官の人事もいい加減で、能力ある人材が排除され、国民とのコミュニケーションも不全に陥った。国民と意思疎通ができない「不通大統領」と批判されたが、その声さえも朴槿恵には届かなかったようだ。最終的には、「崔順実《チェ・スンシル》ゲート事件」と呼ばれる友人の政治スキャンダルで弾劾によってその座を追われると、刑事告訴され、収賄罪などで二十二年の懲役を言い渡された。

その後、誕生したのが文在寅政権だが、韓国民の多数は左翼ではない。古い世代で「利権あさり」のイメージが強い保守政治家が多いため、国民からの尊敬を得られず、結果として左翼が政権を握ったままでのことだ。

金大中、盧武鉉政権も左翼だったが、こうした左翼政権は北朝鮮の主張を受け入れ、「太陽政策」で北朝鮮を利する政策ばかり実施し、さらには在韓米軍撤退政策をも推し進めようとしてきた。文在寅政権も同様だ。

だが、左翼政権誕生の最も大きな原因は「保守政権への失望」だ。朴槿恵弾劾後、韓国の保守陣営は「朴槿恵を擁護するか否か」で分裂した。擁護しなかったものは「裏切者」と批判され、こうした分裂に乗じて誕生したのが文在寅政権なのだ。

仮に朴槿恵が「私を弾劾したものをも赦します」と言えば、保守分裂は避けられた可能性がある。だが、章の冒頭でも述べた通り、韓国のキリスト教徒信者に、そうした「赦し」の概念はない。カトリック信者で、洗礼まで受けている朴槿恵であっても、「赦しの信仰」はみられない。朴槿恵が日本に対して「千年経っても恨みは消えない」と述べたのも、そういう理由からだ。

西側諸国を覆う「アイデンティティ・クライシス」の暗雲

こうした韓国の〝アイデンティティ・クライシス〟を気の毒だと思う一方、その矛先が「反日」に向かう以上、日本も他人事ではいられない。

また、こうした「アイデンティティ」を問う政治的風潮は、韓国だけでなく国際社会のいたるところで見られるようになった。一面では「ポピュリズム」として評されることも多いが、根本原因は移民の流入や経済階層の逆転などによって各国国民の「アイデンティティ」が揺らいでいる実態がある。

最も顕著な例が、アメリカだろう。二〇一六年の大統領選挙で、なぜ誰も予想しなかったトランプ大統領当選が現実のものとなったのか。

大統領選前後のアメリカで、J・D・ヴァンスの『ヒルビリー・エレジー　アメリカの繁栄から取り残された白人たち』（光文社、二〇一七）がベストセラーになったが、この本は「アメリカの繁栄から取り残された低所得白人層「ヒルビリー」の不満が、トランプを大統領候補に押し上げた」と説明している。

本来、リベラル層は貧者や弱者を支援するものだ。アメリカでも、従来は民主党支持者＝市井の人々、共和党支持者＝大企業経営者といったイメージだった。だが、現在は裕福なエリート層、生活に余裕があり、女性差別や黒人差別というポリティカルコレクトネスに対する意識の高い人々が民主党を支持し、日々の生活もやっとで、だからこそ「強いアメリカ」を志向する人々が共和党を支持する逆転現象が起きている。

根底には、「アメリカ人とは何か」についての「アイデンティティ」の問題がある。アメリカではポリティカルコレクトネスや多様性をアイデンティティとする左派と、これに反発して、「なぜ白人は白人であることを誇ってはいけないのか」とする右派との間で激しい対立を生み出している。

韓国がすがる「反日全体主義」と「北朝鮮幻想」

左右、保革の対立では韓国も負けていない。大統領退任後、敵対勢力が政権を獲れば前大統領は必ず投獄されるという不幸が、韓国では現在まで繰り返されてきた。「赦しの信仰」がなく、国民に共通するアイデンティティを持たない韓国であるが故の不幸である。

文在寅政権誕生前は、朴槿恵に対する弾劾を求める民衆がデモを行い、連日、広場や道路を埋め尽くした。そうして引きずりおろされた朴槿恵の後にその座に就いた文在寅は、「朝鮮半島のヒトラー」とまでいわれたが、文在寅政権にそれほどの強さも国民の支持もない。文在寅支持の大半は、単に「保守政権への失望」でしかなかったからだ。

国民のアイデンティティ、あるいは南北統一のアイデンティティにしたい「反日」も万能ではない。北朝鮮は乗ってこないし、文在寅が日本を攻撃するために振り上げたこぶしも、バイデン政権誕生を前に落としどころを探さざるを得なくなっている。

韓国はアイデンティティ探しと、その帰結しての「反日全体主義」「北朝鮮幻想」を追うのをやめるべきだろう。こうしたことを続ける限り、韓国に未来はない。

第六章

日本の半島外交と報道の行方

2021年４月、ホワイトハウスで記者会見する菅首相とバイデン米大統領
写真・時事

日本の朝鮮半島外交は日米同盟に左右される

「日本にとって、朝鮮半島外交の本質とは何か」

この疑問に一言で答えると、外交的には良くも悪くも「日米同盟」に左右されるもの、ということになる。

戦後日本政治・外交の舞台では日米同盟、正確には日米安保体制を危うくした政治家や官僚は追放される、という事例が繰り返されてきた。

ロッキード事件でアメリカの反撃を受けた田中角栄は言うまでもない。日米繊維交渉での密約を実行しなかった佐藤栄作首相は、ニクソン訪中発表を事前に教えてもらえなかった。ニクソンは、佐藤を「嘘つき」と嫌い、一連の「ニクソン・ショック」で佐藤政権は倒れた。

アメリカの「虎の尾」は、朝鮮半島にも存在する。

金丸信元副総理は公表以前にアメリカ政府へ訪朝計画を教えず、事前に相談もしなかったことで、アメリカ側から「日米同盟を危うくした」と判断された。

訪朝が行われたのは一九九〇年九月のことだが、事前にアメリカに通告するか、相談していれば問題はなかっただろう。だが金丸はアメリカに相談も通告もせず、仁義を切らずに訪朝し、さらには「日朝国交正常化」に同意した。結果、金丸は政界から引退する羽目になった。金丸は訪朝後、ワシントンを訪問し、ホワイトハウスで米首脳陣に詫びを入れる「儀式」を行い、なんとか日米同盟を維持した。

逆に日米同盟を強固にしたのは中曽根康弘、小泉純一郎、安倍晋三の各首相で、いずれも長期政権を維持した。二〇二一年四月の菅首相の訪米は、バイデン大統領との個人的信頼関係の構築に成功した。

それでも、小泉純一郎首相は金丸と同じ過ちを犯している。これについては、後に詳しく触れる。

「日朝国交正常化」は政治家や外交官を魅了する言葉だが、危険が潜む。少なくともアメリカの了解なしの「日朝首脳会談」と「日朝国交正常化」は難しいというのが日本の政治と外交の現状であり、常識だ。なぜなら、日朝国交正常化は日米同盟を危うくする、とアメリカが警戒するからだ。

「同盟のジレンマ」という国際政治理論がある。同盟が成立する必要にして十分な条件は①共通の敵②共通の価値観――の二つだ。この条件が崩れると、同盟は相互不信のジレンマに陥る。

米ソ冷戦時代は、日米にとって中国と旧ソ連が「日米共通の敵」であり、日米の「共通の価値観」は自由民主主義と資本主義だった。

だが旧ソ連の崩壊と米中の国交正常化で「日米共通の敵」が失われた。現在の日米同盟の「共通の敵」は「核兵器を持つ北朝鮮」だ。核兵器がなければ、北朝鮮はアメリカの「敵」にはなり得ないし、日本が北朝鮮と国交正常化すれば、日米の「共通の敵」が失われ、同盟が傾く。アメリカは、これを恐れているのである。

だが、日本の立場から見れば、韓国が反日政策を続ける以上、日朝国交正常化も一つの外交戦略ではないかと思う。日本が北朝鮮と国交正常化すれば、韓国の「反日」は下火にならざるを得ないからだ。

中国を「日米共通の敵」に仕立てたトランプ政権

米中貿易戦争を展開したトランプ政権は、再び中国を「日米共通の敵」にしたが、中国は北朝鮮とは違い、強大である。挑発し、刺激すると危険であるため、「敵である」とおおっぴらには言えない。対中強硬姿勢を取り「対中包囲網」である「セキュリティ・ダイヤモンド構想」を提唱してきた安倍晋三も、米中対立が激化すると、これをかえって引っ込めざるを得なくなった。

バイデン新政権も対中対決姿勢を鮮明にしており、対北朝鮮政策の方針が明らかになるのは二〇二一年夏になるだろうが、日本の政権が長期安定を目指すのであれば「アメリカの頭越しの北朝鮮との国交正常化」は避けるべきだろう。

安倍―トランプ政権間では拉致問題も「日米共通の敵」であるかのような演出がなされたが、自国民の救出は、本来、その国が自ら担うものである。トランプのアメリカも、北朝鮮にとらわれていた米国人三名を米朝首脳会談前に自力で連れ帰っている。

その一方で、拉致であれ国交の問題であれ、日朝交渉は、日米同盟を考慮に入れなければならないうえ、米朝の核交渉の影響を大きく受けざるを得ない。

米国の核交渉の失敗と拉致問題に関する経緯を振り返ってみよう。

挫折した、これまでの米朝核交渉

一九九四年、当時のクリントン政権は米朝基本枠組み合意を締結した。北朝鮮が核開発を放棄する代わりに、日米韓三国が北朝鮮に軽水炉二基の原発を供給し、米朝正常化に向かうとの内容だった。さらに正常化までの間、アメリカは毎年五十万トンの重油を北朝鮮に供給する代わりに、北朝鮮も毎年、核査察に応じる約束だった。

だが、これが大失敗だった。アメリカは人道支援という意味合いを込めて重油を供給するとしたが、仮にこれが軍事に使われたとしても五十万トンではどうにもならないだろうと見ていた。だが、北朝鮮にとっては十分すぎる量だったのである。

当時の北朝鮮は、中露からおよそ百万トンの原油と石油製品を輸入していた。そこに、それまでの輸入量の半量に当たる石油をただで入手できることになったのだから、北朝鮮としては大喜びだった。アメリカは、北朝鮮の石油輸入量を知らなかったのである。

しかもこの重油は軽質油に極めて近く、処理するとガソリンや灯油分を抽出できる質のいい重油だったため、当然のごとく軍用に回された。北朝鮮は、それを知ったうえでスペック（品質）表を出したが、アメリカはしばらく気がつかなかった。アメリカの担当者は、北朝鮮を甘くみていたのである。

また、北朝鮮は軽水炉の炉心を搬入する二〇〇二年ごろまでに核開発をやめ、査察に応じると約束していたが、これも反故にしている。そのため、アメリカと関係諸国は北朝鮮が核開発を継続している疑いを強め、軽水炉建設を中断したが、後の祭りであった。

その一方で、二〇〇二年九月、日本の小泉純一郎首相と金正日総書記の日朝首脳会談が実現した。だが、日本側は四か月も前から日朝会談に向けて動いていたにもかかわらず、発表の三日前までアメリカに通告しなかった。そのため、アメリカ側は激怒。ホワイトハウスは「日朝首脳会談への小泉首相の努力を歓迎する」と発表したが、これはあくまでも「努力」を「歓迎」するものにすぎず、首脳会談の実施そのものは「支持していない」ことの表明だった。

アメリカは日朝国交正常化によって日米同盟が揺らぐことに加え、正常化に合わせて行われる経済支援によって、北朝鮮が核開発を放棄しない事態に至るのではないかと懸念していた。

それでも、小泉との友情に篤いブッシュ（子）大統領は、「小泉にも事情があるだろう」として訪朝を認めた。ただし、「国交正常化は核放棄がない限り、しないでほしい」との条件をつけた。そして小泉は日本財団の笹川陽平を通じて金正日に「核放棄の約束がない限り、国交正常化はできない」と手紙を送った。金正日からは「ご心配なく、首相のメンツをつぶすことはしません」と返事があったため、日朝会談は実現した。

会談後の平壌宣言には次の文言が入った。

「核問題の包括的な解決のため、関連したすべての国際合意を遵守することを確認した」

さらに平壌宣言は、ミサイル実験中止の延長も約束した。

首脳会談の真の目的は「小泉政権の支持率上昇」だった

なぜ日朝首脳会談は実現したのか。金正日にとっては、ブッシュの北朝鮮攻撃、特に「核施設に対する空爆」が心配の種だった。ブッシュは二〇〇二年一月の議会での一般教書演説で北朝鮮、イラン、イラクを「悪の枢軸」と呼び、軍事攻撃も辞さない立場を明らかにしていた。これに北朝鮮は驚愕した。米国の攻撃を避けるために、日朝国交正常化の必要を感じたのである。

一方、この頃の小泉は国民的人気の高かった田中真紀子外相を更迭したことで、政権支持率が急落していた。政権維持のために日朝首脳会談を成果として、支持率を上げようともくろんだのだ。

小泉政権の日朝会談といえば拉致被害者の救出が成果として挙げられるが、本当の目的はあくまで「支持率上昇」だったのである。そして思惑通り、小泉政権の支持率は急上昇したが、これは拉致被害者を連れ帰ったという成果あってのことだ。

小泉は拉致被害者五名を北朝鮮から連れ帰った。これ自体は功績といってもいいだろう。国内的にも拉致問題の実態が広く知れ渡ることになった。

ただし、日本が北朝鮮に拉致されたと正式に認定していたのは十二名だったが（現在は十七名）、全員の帰国はならなかった。なぜそうなったのか。

小泉と、当時北朝鮮外交を担当していた外務省の田中均アジア大洋州局長は、北朝鮮に対して「拉致被害者全員の帰国」を要求せず、「北朝鮮による拉致被害者と認定されている人々の『安否情報』」を要求した。そのため、北朝鮮側は日朝首脳会談の席で「五人生存、八人死亡」という「安否情報」を出してきたのである。

北朝鮮は政権維持のために日朝会談が必要だとする日本側の足元を見てもいたのだろう。これで幕引きできると考えたのだ。実際、日本側は「そんな回答では納得できない。全被害者を帰国させよ」とは言わなかった。また、北朝鮮が出してきた安否情報自体が虚偽の情報だったことは言うまでもないが、こうした回答になったのは日本側の責任もある。

本来、自国民の拉致は主権の侵害に当たる。国際法的にいえば、「国民を元居た場所に戻す原状回復」が原則であり、小泉は金正日に「拉致は主権侵害であり、北朝鮮は原状回復すべきだ」として拉致被害者全員の帰国を求めることもできたはずだ。

なのになぜ、拉致被害者全員の帰国を求めなかったのか。日本側に勇気と愛国心、国民に対する配慮がなかっただけでなく、「拉致は主権侵害である」「拉致は国家的犯罪である」との意識が薄かったのだろう。「なんとしてでも自国民を連れて帰る」との意識が乏しかったのだ。

日米同盟を強化する「拉致問題」解決

日本では拉致被害者五名の帰国に沸いたが、アメリカは警戒を続けていた。核問題の解決なしに日朝国交正常化が実現しては困るとばかりに、日朝の間で動き回っていた。アメリカは、北朝鮮が遠心分離機を使っての核兵器用の濃縮ウランの製造を続けている証拠を入手すると、さっそくケリー国務次官補を平壌に派遣し、北朝鮮に突き付けた。

ケリーが証拠を示すと、それまでは核開発を否認していた北朝鮮の姜錫柱《カン・ソクジュ》次官が態度を変え、「遠心分離機で核開発をして何が悪い」と開き直ったという。ケリーは何度も通訳に確認したうえで、北朝鮮側の発言に間違いないことがわかると、すぐに「ワシントンに帰国する」と伝えたという。北朝鮮はそれに対し「米朝首脳会談で、この問題を解決したい」と提案した。

だが当時のボルトン国務次官やチェイニー副大統領が北朝鮮の提案に反対したため、米朝首脳会談は実現しなかった。このころの経験をいやというほど覚えているボルトンが、トランプ政権下での米朝首脳会談に消極的だったのも無理はない。

一方、北朝鮮の核開発の実態は、日本にも突き付けられたと思われる。結局、日朝国交正常化は頓挫した。二〇〇三年八月からは日米韓と中朝露による六か国協議が始まったが、二〇〇八年に何らの成果も得られないまま、終了した。

アメリカは日本との同盟関係を強化するため、二〇〇六年に拉致被害者である横田めぐみさんの母・早紀江さんとブッシュ大統領が面会する機会を作っている。こうした機会は、オバマ政権、トランプ政権でも踏襲された。

ブッシュ（子）政権は、当初は北朝鮮への圧力を強めていたが、二期目には譲歩するようになり、北朝鮮の「行動対行動」の原則を受け入れてしまった。「行動対行動」とは、アメリカが圧力を加えれば北朝鮮も何らかの圧力で対抗し、アメリカが具体的な「お土産」を持ってくれば、北朝鮮も核交渉でアメリカにそれなりの譲歩をする姿勢を見せる、という北朝鮮の外交交渉の得意技で、核開発の違法性を回避する手口だ。

これにより、北朝鮮は、本来核拡散防止条約（ＮＰＴ）で違反とされる核開発を、「相手からのお土産があれば、同程度の譲歩を行う」という原則にうまく乗せてしまったのである。乗せられた側のブッシュ政権は、北朝鮮が原子炉冷却塔を爆破、破棄したことを評価し、二〇〇八年八月に北朝鮮に対するテロ支援国家指定を解除した。だがこれは大きな過ちで、その後も核開発は続いたのである。

バイデン政権の朝鮮半島外交の全貌はまだ明らかではない。菅政権はバイデンとどう組んで、日米同盟関係、朝鮮半島事態を乗り越えていくのか。

菅政権が推進する、日朝国交正常化と拉致問題を同時に解決する構想はいたって現実的だが、核問題を棚上げにすることはアメリカが許さない。仮に正常化するのであれば、北朝鮮と向こう五年以内に核放棄をする約束を取り付けたうえで、日米朝三国による国交正常化を含む核交渉を開始することでアメリカを説得すべきだろう。交渉に韓国を入れたくない北朝鮮は、おそらくこの案に乗ってくる。

またぞろ蠢動する「日朝交渉」に群がる人たち

ただし気を付けなければならないのは、日朝交渉が進みそうだと見るや動き始める政治家や政府関係者、官僚、朝鮮総連関係者の存在である。これまでにも、根拠のない「空気」を読み、やみくもに画策し、大慌てで北朝鮮と接触をしようとして、結果的に国益を損なってきた人たちがいる。

なぜ彼らは日朝外交に一枚、噛もうとするのか。単なる手柄欲しさではない。一言で言えば利権狙いである。日朝正常化が実現すると、一兆円を超える経済協力資金が用意される。北朝鮮における高速道路やダム建設、農業開発などのプロジェクトが進められるため、そこへ巧みに介入し、政治利権を得ようとの悪だくみがある、と見る向きは多い。実際に、章の冒頭で触れた金丸訪朝団の帰国直後に、政治家と業者が作ったプロジェクトと利権を明記した覚書が存在する。

日頃、拉致問題に何らの関心も示さず、拉致被害者家族支援もしてこなかった政治家が、突如として「訪朝の意向」を示すのはそのためだ。

二〇二二年早春にも、そうした警戒すべき動きがあった。三月と四月に、超党派の「日朝国交正常化推進議員連盟」が実に三年ぶりに役員会と総会を開き、会長の衛藤征士郎元衆院副議長のほか、自民党の二階俊博幹事長も出席した。役員会では、「拉致被害者の即時帰国を求める決議」を採択したと報じられている。

衛藤や二階を、拉致被害者救出に熱心な政治家だと思っている人は多くはないだろう。むしろ、拉致問題の解決には冷淡だったという印象すらある。

二階はこの役員会で「各党の協力をいただいて、訪朝を考えてみるようなことも（必要だ）」と巧みに述べた。読売新聞と日経新聞はこの件にベタ記事で触れた程度だったが、それは二階が「訪朝する」とも「検討している」とも言っていないからである。

ところが毎日新聞は三段記事で扱い、産経新聞に至ってはどういうわけか会合の二週間後に「拉致『政府任せ』脱却図る」「超党派で訪朝検討」と大々的に報じている。これは二階発言の意図を読み違えた対北外交の基礎を知らない記者による、明らかな判断ミスというほかかない。

日本の政治家が訪朝するには、北朝鮮のしかるべき人物か機関からの「招待状」が必要となる。この「招待状」は金正恩の許可がなければ出すことはできないし、「招待状」がなければそもそも北朝鮮には入国することさえできない。

そのため、北朝鮮から「招待状」が来てもいないのに、日本側で「訪朝だ」と騒いでも意味がない。さすがに二階幹事長は事情をよくわかっていて、だからこそ「訪朝を考えてみるようなことも」と述べるにとどめたのだ。

何より、「拉致被害者の即時帰国を求める決議を採択」した日朝国交正常化推進議連関係者を、金正恩が入国させるわけがない。北朝鮮はすでに「拉致問題は解決済み」と宣言しているのだ。こうした常識を欠いたまま記事を書いたばっかりに、毎日と産経は「拉致問題が動く」「訪朝か」と勇み足を踏むことになったのだ。

拉致被害者の帰国に長年尽力した専門家の中にも、産経の記事や日朝議連の会合を受けて「北朝鮮から何らかのメッセージがあったのではないか」と期待含みのコメントを出す向きもあった。だがこれは全くの見当違いである。

国益を損なう「二元外交」と同じ轍を踏むのか

なぜ、日朝国交正常化推進議連は、この時期に三年ぶりの会合を開いたのか。三年もの間、会合を開けなかったのは菅義偉首相の前任である安倍晋三首相が、政治家による議員外交を「政府とそれ以外の『二元外交』になり、外交を混乱させるばかりか、国益を損なう」と考え、議員らに自制を求めていたからである。議連からすれば、菅政権になって半年、官邸からの統制が緩くなり、ようやく動けるようになったというわけだろう。

だが、わたしの長年の「対北朝鮮議員外交」に対する取材経験によれば、どれも「国会対策的外交」であり、国益を損ない、日米同盟すら危うくしたケースばかりだった。「国会対策」とは、与党が法案を通すために野党議員に利益を与え、譲歩したふりをする日本的談合政治だが、日本の政治家は国際政治の舞台でも「国会対策」的手法で問題を解決できるという誤った認識を持ち続けてきた。

一九九〇年の金丸訪朝団は、その最大の失敗例だったといえる。金丸訪朝団は「戦後補償」と「日朝国交正常化」を北朝鮮との間で約束し、国を危うくした。この「戦後補償」とは、(北朝鮮目線でいえば）戦後の日本が韓国とのみ国交正常化し、北朝鮮をないがしろにしたことに対する「補償」である。

だが実際には、北朝鮮は日韓国交正常化に反対し、分断を固定するものだと非難して自ら距離を置いたのであり、日本が「補償」しなければならない理由はない。にもかかわらず、「戦後補償」を北朝鮮との間で約束した金丸訪朝団のやり方は、国民の血税や日米関係を犠牲にしながら、日本の永田町だけでしか通用しない「国会対策的外交」を展開したことになる。

こうした失敗に学ばない面々、つまり日朝国交正常化推進議連が、二〇二一年三月になってまた同じ轍を踏もうとしたのである。

「北朝鮮へ行くので、親書をいただけないか」

それにしても、なぜこの時期に動き始めたのか。官邸の縛りが緩んだという理由だけではない。実はその謎を解く動きがその二か月ほど前に起きていた。

ある有力者が、菅首相に「北朝鮮に行くので、親書をいただけないか」とお願いに行っていたのである。「北朝鮮が日朝関係改善に乗りだすメッセージを送ってきた」と説明したが、政府の情報機関はそうした北朝鮮の動きがあるとは見ていなかった。

官邸の見立て通り、北朝鮮からのメッセージは存在しなかったのだが、彼らは、一体何を根拠に「北朝鮮がメッセージを送ってきた」と言ったのか。

それは、朝鮮総連内部で起きたある事件に端を発する。二〇二〇年十一月、朝鮮総連の中央委員会総会に、金正恩の「御真筆」が届けられた。開封が指示されるまでは絶対に開けてはいけない命令書だった。総連首脳陣は総会で初めて内容を知り、驚愕したという。書かれていたのは朝鮮総連の人事で、総連議長の許宗万《ホ・ジョンマン》に反発する「反許宗万派」の朴久好《パク・クホ》副議長を第一副議長とし、後の議長（許宗万の後継者）にする、との内容だった。事実上の「議長交代」指示である。

困った許宗万派は、金正恩に対して「二〇二一年にも、許宗万宛に誕生日を祝う祝電を送ってほしい」と要請。実際に二〇二一年二月二十二日、金正恩が朝鮮総連の許宗万議長宛てに誕生祝の祝電を送った。

総連議長への誕生祝は通常、五年ごとに発表されており、二〇二〇年に許宗万が八十五歳を迎えた際に祝電が届いていた。本来、二一年には届かないはずだが、許宗万は「体調が悪い。今年が最後の誕生日になるかもしれない。最後の祝電をいただきたい」と金正恩にお願いしていたようだ、との総連関係者の証言がある。

この祝電を、総連議長と政治家らが「日朝交渉を始めるとの北朝鮮からのメッセージで、許宗万議長は金正恩に信頼されている」と解釈して官邸に働きかけ、さらには日朝国交正常化推進議連の会合を演出した——と、朝鮮総連の深部を知る関係者は説明している。

つまり、この「親書要求騒動」は、総連議長を降ろされそうになっている許宗万の権威を守るために金正恩に祝電を要請し、それをテコに日朝交渉をも動かして自らの影響力を高めたいとする総連議長の思惑と、日朝交渉に絡むことで利権や政治的影響力の増大につなげたい人々の狙いで演出された三文芝居だったということになる。

北朝鮮にとって優先度の低い対日外交

一方、官邸はそのような芝居には騙されなかった。菅は、就任当初から拉致問題解決に強い意欲と責任を表明してきた。前任の安倍首相を総裁選で支持し、官房長官を務めた菅は、二〇〇二年、「拉致問題が解決されていない以上、北朝鮮船を自由に入港させるべきではない」として、法案の制定に走り回り、そこで安倍前総理との接点ができた、とかねて公言している。総理就任以来、北朝鮮との接触を熱望しているが、パイプがなく、北朝鮮の権限のある部局に連絡を取ることすらできないままになっていた。

こうした状態を知って、一部の人々が「日朝接触を画策すれば菅総理に取り入れる」と考えたか、「早く動けば利権に唾《つば》を付けられる」と考えたのか、本心は定かではない。だがいずれにしてもこうした突然の「総会開催」や「親書要請」騒動は、拉致被害者や拉致被害者家族のことを真剣に考えたうえでのこととは到底、思えない。

「日朝議連」は、北朝鮮にとって日本との交渉の優先度がどの程度のものかを見誤っているフシすらある。菅が二〇二〇年九月末に首相に就任して以降、北朝鮮は半年にわたって非難も批判もしなかった。これは珍しい現象で、多くの外交関係者が「北朝鮮は菅政権と交渉・対話する意向があるのではないか」と受け止めた。

だが、これは単に北朝鮮にとっては対米・対中外交が最優先であり、日本との交渉が後回しにされているに過ぎない。現に、日本担当の責任者と部局がなかなか決まらなかったという事実がある。「日本の相手をしている暇はない」というのが北朝鮮の実態だ。

菅首相は「条件を付けずに金正恩と会う用意がある」と述べている。だが前途は多難というほかない。

これ以上ないほど沈んだ日韓関係は再浮上するのか

対韓外交はどうか。

二〇二一年三月三十一日、文在寅政権の鄭義溶外相は慰安婦問題についてこう述べた。

「日本が二〇一五年の合意精神に従い、反省して誠意ある謝罪をすれば、問題の九九％は解決される。日本の決心によっては容易に解決することもできる」

だが、就任以来、「反日姿勢」を強め、二〇一五年の「日韓合意」を形骸化させた張本人こそ、文在寅その人である。これがいかにバイデン米大統領の顔に泥を塗るものであったかは、第三章で詳述した。

文在寅の「反日姿勢」は「積弊清算」とも呼ばれる。この姿勢を一部の日本の新聞記者や学者は「過去の過ちを清算し、正しい姿に戻すことが目的であり、必ずしも反日そのものが目的ではない」と解説するが、「日本とかかわっていたこと」自体が「正しくない」といわれている以上、「積弊清算」は常に日本に対する非難とセットになっていることは間違いない。

事実、慰安婦問題や徴用工問題だけではなく、文在寅政権と日本の政権（安倍・菅）の間には、海上自衛隊の旭日旗（自衛隊旗）掲揚問題、レーダー照射問題、輸出規制問題、GSOMIA連携解消問題など様々な軋轢が生じた。アメリカが同盟国同士の関係に立ち入らないトランプ政権下であったことも影響してか、互いに修復しようという姿勢すら見えない日韓関係は、悪化の一途をたどった。

さらには、第三章で触れた国際法にも触れる徴用工裁判、慰安婦裁判の判決も下された。これらは、日本が韓国に対し国交断絶を宣言してもおかしくないほどの暴挙である。

これだけでも日韓関係は沈むところまで沈んでいたのだが、韓国は二〇二一年に事実上のさらなる「反日宣戦布告」を行ってきた。反日的言動で知られる姜昌一《カン・チャンイル》元国会議員を駐日大使に指名したのである。

姜昌一は韓国国会の独島領土守護対策特別委員会で委員長を務めていた二〇一一年、ロシアのビザを得て国後島に上陸し、「北方領土はロシアの領土」と述べている。さらに「天皇は慰安婦に土下座して謝れ」と述べた文喜相《ムン・ヒサン》国会議長の発言を支持し、「天皇ではなく日王と呼ぶべきだ」と主張した人物である。

東京大学で博士号を取得したが、博士論文の学問的質は低いと批判されている。東大の質を疑いたくなるような話だ。

報道等では「知日派」として紹介されるが、実際は韓国でも「反日機会主義者」と呼ばれており、日本人の前と韓国人の前で主張を変えることで知られ、韓国の学界では

「居丈高で、嫌なやつ」と嫌われているという。

「機会主義者」とは、自身の主張や筋を通すことなく、その場に応じてコロコロと態度を変える日和見主義の人間を指す。日本人はこうした不正直な人物を嫌うし、当然、韓国でも好かれない。韓国ではこうした人物を「ヘバラギ（ひまわり）」と呼ぶ。太陽の動きによって向く方向を変えるひまわりのように、都合のいい方へ自らの主張を変え、権力に取り入る節操のない人物を指す表現だ。

文在寅のこの人事は、日本を軽視していることを表すだけでなく、日本人の心情に対する配慮すら感じられないもので、「喧嘩を売っている」と思われても仕方ないだろう。

この人事が発表されて以来、日本国内では非難の声もあったが、姜昌一は二〇二一年一月に日本に赴任した。

売られた喧嘩を買うこともできない日本外交の「無戦略」

この間、日本の首相官邸と外務省も、全く情けない対応に終始した。天皇を侮辱した人物であることは一般にも報じられているのだから、韓国側から「駐日大使に」と通告を受けたらすぐに「国民が納得しない」と就任を拒否すべきだった。大使は、相手国のアグレマン（同意）がなければ赴任できないからだ。

折から、国際法違反、国交断絶案件といってもいい慰安婦判決が下されることはわかっていたはずである。せめて慰安婦判決が出るまでアグレマンを保留していれば、大使の就任と慰安婦判決を天秤にかけさせることもできたかもしれない。にもかかわらず、日本側はやすやすと新大使にアグレマンを出してしまった。

もちろん、韓国側はそのことを知っており、大使就任の同意を得たうえで、賠償判決を許したのである。判決と大使人事を駆け引きに使う頭すらないとすれば、日本外交の戦略性のなさは批判されてしかるべきだろう。

何より、外国の大使は天皇陛下に「信任状」を直に奉呈する。「天皇侮辱発言」の〝前科〟のある人物を、天皇陛下に会わせていいのか。何の謝罪もなく「信任状奉呈」を認めれば、無礼な発言を事実上、「容認」したことにもなりかねない。さすがに自民党外交部会が物言いをつけた。各国の大使は天皇に信任状を奉呈しなければ公式の活動ができないが、奉呈は順番待ちになっており時間がかかるため、コピーを外務省に提出した段階から公式活動が可能になる。自民党議員らの反対により姜昌一の信任状コピー提出が一週間延期されたという。自民党議員の反発は当然だが、すでに姜昌一は日本に赴任しており、時すでに遅かったというべきだろう。

日韓の経済関係さえ批判する韓国の左翼政権

かつて一度だけ、韓国政府が駐韓日本大使を拒否したことがある。伊関佑二郎さんに対してだ。伊関さんはアジア局長経験者で、オランダ大使、インド大使を歴任した大物外交官である。伊関大使発令の打診を受けた韓国政府は「人間性に問題はないが、彼だけはやめてほしい」と伝えてきた。

その理由は何か。実は韓国語で「イセキ」は「この野郎」という意味になってしまうのだ。ニュースで伊関大使の名前が報じられるたびに「この野郎大使」となってしまう。韓国人は大笑いする羽目になるから、発令はやめてほしいと言われ、実際に取りやめとなった。彼が大使に任命されていたら、韓国政府が彼を呼び出して抗議するたびに韓国民は大笑いし、「イセキ（この野郎）」と叫び手を叩いで喜んだことだろう。

伊関さんをめぐる話は牧歌的なものだが、姜昌一大使の話はそうではない。こうした韓国の反日行動が続けば、日韓関係は不安定化する。第三章でも見たように、アメリカからも関係改善を迫られることになる。そして関係改善を迫られるのは当然、韓国だけでなく日本も同様である。

日韓両国は経済面も近年こそ、互いの重要度が低下しつつあるが、もともとは強く結びついていた。例えば、韓国企業の海外展開の成功は日本の金融機関の全面協力なしにはなし得なかった。融資残高は三兆円を超える。今も、日本の若者は韓国のタレントや歌手、化粧品などの分野で最大の市場だ。

だが、韓国の左翼は、こうした結びつきを「悪しきもの」とし、むしろ「日本の従属経済になった」と批判するのだから始末に負えない。

今となっては語られない「徴用工」の雇用待遇

本来、日韓の一般庶民は、言葉は通じずとも感情を通わせることのできる、互いに唯一の外国人であった。欧米人とは言葉が通じなければ感情どころか意思疎通も難しいが、日韓の間ではそうではない。本来、日韓庶民の交流には反日も嫌韓もないはずで、若者は互いの文化を楽しむ空気がある。一方で、互いの政治やメディア、運動家らが日韓関係に暗い影を落としてきた。

二〇一八年、二〇二一年の判決でも日韓関係に打撃を与えている徴用工問題、慰安婦問題がその象徴だ。

第三章でも触れた通り、日本は二度、慰安婦に対する補償資金を拠出している。個人的には、一九九五年に「アジア女性基金」が決めた「償い金（一人当たり二百万円）」はあまりに少額だったのではないかと思う。慰安婦個人のことを考えれば、一時金ではなく年金方式にして、元慰安婦らの老後の生活の支えとすべきだったかもしれない。

こうした日本政府の最初の資金提供には問題があったとわたしも考えるが、韓国側の主張もつじつまが合っていない。

韓国側には、元慰安婦支援運動を口実に資金を集め、北朝鮮の工作員に接触する資金に流用した者たちもいる。二〇二〇年に元慰安婦の一人が支援団体の資金流用疑惑を告発し、大きな問題にもなっている。元慰安婦の女性に「日本からのカネを受け取るな」

と圧力をかけた者たちも韓国にはいたのだ。

徴用工問題にしても同様だ。メディアでは語られない真実がある。徴用工裁判で被告となり、賠償金の支払いを求められ、資産の現金化まで取りざたされた日本製鉄は、当時の給与支払いの記録や人事管理記録を保管していた。

わたしの在日の友人である李隆《イ・ユン》氏の父親は、徴用工として旧八幡製鐵（現日本製鉄）で働いた。戦後、帰国したが、生活できず日本に密航した。彼の父親は、息子にこう語ったという。

「八幡製鐵では、給料はきちんと支払われたし、休みもあった。韓国に帰国する際には、退職金ももらった。日本人の仲間が送別会を開いてくれて、餞別ももらった。でも日本人は、『韓国人は強制連行された』と思っているから、本当の話をしてはいけない」

日本製鉄の関係者は、日韓基本条約締結の際に徴用工への支払いや未払い賃金問題について調査し、政府に報告している。その後も問題になるたびに、日韓両政府に証拠を提出した。それもあって、日本製鉄関係者は、問題はなかったと確信している。

にもかかわらず、この問題を何度も蒸し返されるから、関係者もかなり辟易し、怒りすら覚えている。もちろん一部には、問題の企業もあり、問題のある日本人上司もいただろう。戦後の混乱においては、在日朝鮮人の団体を名乗る人々が、日本企業から「退職金」や「未払い賃金」名目で金を徴収した事実もある。

そうしたことから反対論もある中で、日本製鉄は一九七〇年ごろ、韓国の浦項製鉄所建設に協力した。日本政府は借款や資金提供にも応じた。技術も提供した。「それでも裏切られた」との思いが関係者には残っている。日本政府と産業界には、「韓国にはもう付き合いきれない」との空気が広がっている。

「軍艦島」をめぐる徴用工と元島民の証言の食い違い

明治日本の産業遺産の研究を行う「産業遺産国民会議」の加藤康子専務理事は、韓国人から「右翼」と攻撃されている。それに乗じて韓国側の立場で報じる日本人記者・ジャーナリストもいる。

加藤氏は「産業遺産情報センター」で明治産業遺産の記録収集と保存の過程で、「軍艦島」と呼ばれる長崎県端島の炭鉱労働者の労働環境に関し、国内外で語られる内容がいかにでたらめかを、学術的な手法で明らかにしている。

学問的には「エスノグラフィー」と呼ばれる方法で、旧島民や炭鉱労働者、その家族らの証言を集め、結果として「端島での労働が奴隷的なものであるなどのイメージや証言が、意図的に創作されている」と告発した。情報センターでも、収集した証言に基づく展示を行っている。

例えば、韓国では「軍艦島炭鉱」について、「一年中、褌一丁で働かされた」「採掘場は、狭くてうつぶせになって掘るしかない狭さで、生きて帰れないと思った」「檻のようなところに閉じ込められ、奴隷のように働かされた」などといわれている。

だがこれらは捏造された証言だ。元島民は「褌一丁で働いたら危ないから、端島ではありえない」「慣れない韓国人の労働者を狭く危険なところで働かせたら、落盤や爆発の危険がある。そんなところで働かせるわけがない」と証言し、加藤氏は調査によって得たこうした証言をセンターで紹介したのである。

これで韓国側は蜂の巣をつついたような大騒ぎになった。

韓国日報は「産業遺産国民会議は、日本政府の委託を受けて産業遺産情報センターを運営する右翼団体である」とする記事を掲載した。情報センターが設立されたのは安倍政権下だが、いくらなんでも日本政府は「右翼団体」には事業を委託しない。そうした常識を欠いた記事であり、記者は東京特派員として失格といえる。

新聞社の特派員は、両国の読者の誤解を解き、史実を理解させる使命がある。だがこの記事は、読者の誤解を拡大する効果しかない。

新聞記者は「運動家」に成り下がってはならない

韓国のマスコミや運動団体が抗議の声を上げたのは当然だが、加藤氏は日本人記者からも総攻撃を受けることになった。朝日新聞、毎日新聞、NHKなどの現職、元職のソウル特派員たちが、情報センターを訪れ、事実と違う思い込みによって、悪意をぶつける〝取材〟を展開したのである。

わたしの古巣である毎日新聞の記者を加藤氏は批判した。ソウル支局長経験者であり、外信部長も務めた論説委員が、情報センターにやってきて「(在日韓国人二世で朝鮮人に対する虐待など聞いたことがない、と証言している) 炭鉱で働いた鈴木 (文雄) さんの証言を外せば、韓国政府は納得する」などと発言したと、加藤氏は怒りを込めて名指しで告発している。これは「取材者」としての矩《のり》を超えていると批判しているのだ。

取材の基本は、まず相手の話を聞き、その内容の裏付けを取る作業を行ってから記事を書くことだが、〝運動員化〟した記者たちは、この基本ができていない。確かに昔から、記事のストーリーを先に決め、それに沿った話しか聞かない記者もいたが、まさかそうした記者がまだ存在し、古い手法を使い続けているのは、先輩としては申し訳ないと思う。

加藤氏は「軍艦島で奴隷労働が行われていた」とする「嘘の証言」が生まれたのは、NHKがかつて放映した「緑なき島」のやらせ映像が原因ではないかと見ている。

確度の高い指摘ではあるが、大手メディアがこれを取り上げることはない。それどころか、日本の新聞記者が韓国側のメッセンジャーよろしく立ち回っているのだからいただけない。これでは、記者が韓国側の運動に取り込まれたといわれても仕方がないだろう。新聞記者が「運動家」に成り下がったら、終わりである。

韓国を批判し、北朝鮮を持ち上げる報道が横行していた時代

序章でも述べた通り、日本の朝鮮半島報道は、北朝鮮に関しても、韓国に対しても、「運動」にからめとられてきた。公平・公正に両国を見る目が失われ、日本ではなく両国（と運動団体）の利益になるよう、記事を書いてきた記者や、そうした記事ばかり載せてきた媒体も少なくない。

記者は、ある時は日本人に韓国の事情を理解させ、韓国人に日本の事情を説明する「通訳者」のような役割を期待される。だが、それはあくまでも記事によって世に訴えるもので、問題の当事者に圧力をかけてスタンスを変えさせるようなものではあってはならない。

かつて、日本の世論は北朝鮮の立場で韓国を見る「宣伝扇動者」が支配していた。

一九六五年の日韓国交正常化までの日本人は韓国にも北朝鮮にもほとんど興味関心がなかったため、一九五九年の在日朝鮮人の北朝鮮への帰国事業が、当時の重大ニュースとなった。新聞やテレビは、帰国した在日が北朝鮮でいかに幸せな生活をしているかを、競うように報じた。のちに明らかになるように、すべては嘘だった。

ここで、わたし自身の体験を踏まえながら、かつての朝鮮報道、朝鮮半島を扱ってきたメディアの姿勢を振り返ってみたい。

共産党員で歴史学者の寺尾五郎という人物がいる。寺尾は帰国事業を宣伝し、著書『38度線の北』（新日本出版社、一九五九年）は、北朝鮮の「地上の楽園」宣伝に協力し、理想の国家と書いた。

その後、日本からの訪朝取材団が北朝鮮国内を列車で移動中、帰国した在日の学生が乗り込んできて、訪朝団の一人に日本語でこう話しかけてきたという。

「寺尾五郎を知っているか。あいつに騙されて帰国したが、あいつが書いたのはみんな嘘だった。人の人生をめちゃくちゃにしやがって。あいつに会ったら、しこたまぶん殴ってやると伝えてくれ！」

彼らは寺尾の顔を知らなかったが、寺尾はこの訪朝団の一員で、同じ列車に乗り、この発言を耳にした。窓際に座った寺尾は、そっぽを向いて小さくなっていた、と訪朝団のメンバーが帰国後、関係者に伝えた。

一九六五年、日韓基本条約で両国は国交正常化したが、日本の世論は「嫌韓」「親北」

の空気が支配していた。そもそも国民全体の関心も低く、日本の新聞のソウル特派員も、韓国語ができなくても務まる時代でもあった。当時、韓国の取材対象者に当たる世代は、皆日本語を話すことができたからである。

日韓双方で条約反対運動が起きたが、それぞれの論理は違っていた。韓国の学生は「屈辱外交反対」を叫び、日本から謝罪を受けるべきだとし、謝罪なき条約締結に反対する立場だった。一方、日本の学者や若者、新聞記者で反対していた者たちは北朝鮮の主張に従い、「南北分断固定化反対」「日米韓軍事同盟反対」と述べていたのである。日韓基本条約反対派として知られる高崎宗司・津田塾大学教授が、著書で韓国を「南朝鮮」と表記していたのが象徴的だ。

「日韓基本条約を読んだ学生は手を挙げなさい」

そうした空気の中、わたしは一九六五年に早稲田大学に入学したが、学内でも日韓基本条約反対の運動が展開されていた。大学キャンパスで開催された「日韓条約を考える集会」の看板を見て覗いてみると、衝撃的な場面に出くわした。

法学部の大教室におよそ三百人の学生が集まり、超満員の様相だった。早稲田大学で国際法を教えていた杉山茂雄法政大学教授が講師を務めていた。外務次官から駐米日本大使を歴任した杉山晋輔氏の父親である。

杉山教授は開口一番、「君たちは法学部の学生だ、日韓基本条約の条約文を読んだ学生は手を挙げなさい」と学生に呼び掛けた。そのとたん、教室が静まり返った。私語も咳も聞こえない。誰も手を挙げなかったのだ。

杉山教授は「法学部の学生のくせに、誰も条約も読まずに私に話をさせるのか。失礼だ。恥を知りなさい」というと、そのまま帰ってしまったのである。

衝撃的なこの場面は、新聞記者になってからの米ソ首脳会談や日韓首脳会談の場面で、常に思い出されることになった。「自分できちんと条文を読み、考えて判断しなさい」という杉山教授の教えである。おかげで、わたしは国際政治の取材で合意文書や条約を自分で読み、他紙とは違う記事を書けるようになった。先生には感謝している。

「通訳者」に徹する記者か、「運動家」に転じる記者か

わたしが新聞記者になったころに、ようやく韓国語で取材できる新聞記者が誕生した。朝日の小栗敬太郎記者が第一号で、わたしと共同通信の黒田勝弘記者（現産経新聞）、読売新聞の菊池正人記者が続いた。韓国の文化や心情を日本に紹介し、「通訳者」としての役割を果たし、日本の世論を韓国への無関心から韓国理解へ変えた。

韓国が国際化し、情報通信速度も上がった今は、通訳だけでなく、世界の中での日本の正確な事情と、韓国の立場を説明できる「国際的通訳者」が求められているが、これが存在しない現状がある。

現在の日本の新聞のソウル報道を見ると、韓国の記事や情報を〝剽窃《ひょうせつ》〟する「転電記者」が多い。日本人の立場から、独自のアングルと取材で報道する気概を失っているのではないか。

それどころか、日韓間の事情や国民の心情をそれぞれに「通訳」し、相互理解を図るべきところ、徴用工問題や慰安婦問題で運動団体や活動家の意見をそのまま記事化して報じる向きもある。これはもはや新聞記者としての職務放棄に等しい。「運動」は、活

動を進めるために時には嘘をつくこともあるという実態を理解していないのだろう。

新聞記者の仕事は事実を確認して報道したうえで、背後に隠れた真実を知らせることであって、運動を支援したり、訳知り顔に評論して見せたりすることではない。新聞記者の、こうした「職務に対する考え違い」から報じられた記事が積み重なって、日韓両国民の人心が冷め切ってしまう結果となったことを、新聞記者は真剣に考えなおすべきだ。

「嫌韓」的言説の源流は岩波書店にある

「市民の『世論』は、新聞報道の『模倣』である」

百年以上前に活躍したフランスの社会学者、ガブリエル・タルドは『模倣の法則』（河出書房新社、二〇〇七年）でこう述べている。タルドの主張は正しい。テレビの街頭取材を見ると、市民の意見は新聞やテレビのコメントの真似（模倣）か、少なからぬ影響を受けたものとなっている。

日本では現在、保守といわれる人たちが「嫌韓」的言説を述べることが多く、左派はこれを「差別」などといって批判しているが、一九八〇年代までは左派こそ「嫌韓」だった。それどころか、韓国の存在を認めず、北朝鮮の主張に基づいて「南朝鮮」と呼んでいた。

岩波書店の『世界』には多くのジャーナリストや知識人が寄稿したが、一九八〇年代末まで「韓国」との表現を使うことを許さず、「南朝鮮」と表記させた。韓国に対するこれ以上の侮辱はないだろう。いわゆる進歩的文化人や共産党、旧社会党がこれを踏襲したのである。韓国人が大韓民国に強い愛国心を抱いている事実を知らなかった。

わたしは学生時代から、駆け出し記者として取材に駆け回っていたころまで、岩波書店に敬意を抱き、岩波書店が出版していた月刊誌『世界』の愛読者だった。東京帝大を追われた矢内原忠雄など、キリスト教無教会主義の先生方が、創立者の岩波茂雄に助けられた経緯もあった。

だが、新聞社に入社後、韓国に留学してから、『世界』の購読をやめた。ジャーナリズムの使命に背き、運動の道具に堕落していると感じたからだ。運動は目的のために嘘をつく。真実を追求するジャーナリズムが、運動の手先になったら終わりだ。

このことを強く感じたのは、わたしがソウル特派員を終えて、米スタンフォード大学に留学したためだ。スタンフォード大学は、毎年、全米と海外のジャーナリスト二十人を集めた教育を行っている。

ここで多くのことを教えられた。ジャーナリズムはもちろん、法律学、教育、哲学などの研究を行ったが、担当教授はこの目的を「自由民主主義のためだ」と説いた。そしてジャーナリストが担うべき「報道の自由」は、自由民主主義の柱だと言ったのである。「言論の自由」は、意見が異なり、立場が違っても、相手の表現の自由を認める。だが、岩波の『世界』はそうではなかった。一九七〇年代には、『世界』編集長が金日成への複数回の面会を許され、インタビュー記事を掲載した一方で、北朝鮮に批判的な研究や主張のほか、韓国を評価する論文の掲載を拒否するなど、「言論の自由」は尊重されなかった。

つまり、『世界』はジャーナリズムや学問ではなく、北朝鮮の宣伝工作に協力する「反言論の自由」を運動で推し進める雑誌だったと批判されるのである。

韓国差別の急先鋒だった岩波書店の雑誌『世界』

そう思って改めて見てみれば、確かに岩波書店の刊行物には、北朝鮮の「全体主義」を批判的に見る視点がまるでなかった。北朝鮮は、ハンナ・アーレントが指摘する全体主義の要件を十分に満たしていたにもかかわらず、だ。

韓国の著名な政治学者、韓相一《ハン・サンイル》教授は著書の『(日本)知識人の傲慢と偏見』で『世界』を「反韓、親北」と断定した。真実を報じるジャーナリズムではなく、むしろ事実を否定し、「反韓世論」を形成するための運動だと指摘した。岩波書店の責任を問い、日本人の「韓国蔑視」「韓国差別」を突いたのである。

一定の立場や思想の押し付けは、「報道の自由」の否定につながる。その意味で、『世界』が一時期の勢いや権威を失い、発行部数が激減し、影響力を失ったのも無理はない。岩波的報道の模倣をしなかった戦後日本国民の感覚は、優れていたと言える。

メディアやジャーナリズムの使命は何か。日本では「権力の監視」を挙げる人が多いが、これは必ずしも正しくない。「報道の自由」は自由民主主義のためにあり、自由民主主義が存立してこそ、「権力の監視」も持続的に可能になるのである。

空気に流され、角度をつける朝日新聞と自由な社風の毎日新聞

現在、ＴＢＳやＮＨＫの番組、あるいは朝日新聞の記事などが保守派から激しく批判され、関係者からは「こうした批判によって報道が委縮する」などといわれることすらある。だが、報道を批判し、再反論できる状況がある間は、少なくとも報道や言論の自由は保たれているのだ。言論には言論で対応すべきで、大新聞が裁判に訴えるのは、「言論の自由」の放棄である。

確かに、「報道の自由」と「自由民主主義」への理解を欠く記事や報道もある。また、事実や学問的成果を無視した意図的な記事や論者もいる。特に朝鮮半島問題では、一方の宣伝工作に乗った報道を行うものもある。

だが、好きであれ嫌いであれ、報道は「自由民主主義のため」にあるのである。その視点が、日本では欠けているのではないか。

わたしは性格が歪んでいたおかげで、当時の報道で支配的だった「空気」や「ステレオタイプ」に抵抗する記事や論文を書いてきた。それがジャーナリストの使命である、とウォルター・リップマンは『世論』（岩波文庫）で教えている。

夏目漱石は『草枕』に「智に働けば角が立つ。情に棹させば流される。意地を通せば窮屈だ、とかくに人の世は住みにくい」と書いたが、日本社会の世渡りは、この術がなければ成功しない。

「流れに棹させば流される」のは新聞記者の職業病でもあるが、それをまっとうできたのは毎日新聞という会社のおかげだ。当時の毎日新聞は、日本一、自由な新聞社だった。

メディアの「嘘」に騙された日本の世論

わたしが韓国留学から戻った一九七六年、毎日新聞系の『エコノミスト』誌に「韓国経済は先進国を目指す」という記事を書いたところ、激しい批判を浴びた。日本の世論は、実に一九九〇年ごろまで「韓国は従属経済で、軍事独裁である。韓国経済は破綻し、北朝鮮経済が自立発展する」というものが主流だったのだ。

こうした流れに乗った開発経済学者の九〇%が間違えたことになり、わたしの記事を批判したのもそうした人々だったが、現在、自身らの主張が全く間違っていたことに対するお詫びも反省も聞こえてこない。

反省すべきは経済学者だけではない。先にも触れた「北朝鮮は地上の楽園」として、個人崇拝と軍事独裁、日本人拉致や政治犯の収容所政策まで行っていた実態を、全く報じることのなかった報道機関も同罪である。長い間、「朝鮮戦争は北朝鮮が始めた」と書くことはできなかった実態を、忘却の彼方に押しやってはいけない。

また、北朝鮮経済の危機を新聞で記事にしたら、抗議団が社に押し寄せたこともあった。抗議電話も一日中、鳴りやまない。朝鮮総連系の「朝銀」破綻の記事にも、同様に抗議団体が押し寄せた。

ここで面白いエピソードがある。抗議の電話に出て、わたしが朝鮮語で相手をしたところ、すぐに電話を切られてしまった。わたしの方が朝鮮語がうまかったからだ。「日本人のわたしより下手な朝鮮語では、金日成主席に顔向けできませんね」といったところ、「バカ野郎」と怒鳴って会話は終わった。

一方、そうした抗議を受けることもなく、「北朝鮮は地上の楽園」「帰国した在日は幸せな生活を送っている」「北朝鮮は日本人を拉致していない」「韓国は軍事独裁政権で、国民は貧しい」などと書いてきた人々は、今も全く責任を取らずにいる。

こんな嘘に騙された「世論」は不幸でしかない。

命がけで北朝鮮の問題を告発した在日商工人

そうした風潮の中で、ある面では、「在日朝鮮人・在日韓国人はメディアの論調に口を封じられた」と言われても過言ではない事情があった。在日の「日本での差別体験」はメディアで大々的に取り上げられても、北朝鮮批判はほとんど取り上げられなかったのである。

在日は、日本人拉致や北朝鮮の人権問題ではなかなか声を上げられない。朝鮮総連や仲間からリンチまがいの虐待を受けた友人もいたように、本当のことを言えば裏切り者扱いされかねないからだ。だがそれは、一方で日本人から見れば「在日は日本人の被害者に冷たい」と受け取られもした。

そんな中、勇気ある在日朝鮮人もいた。北朝鮮を訪問した在日の商工人が一九八四年に書いた『凍土の共和国――北朝鮮幻滅紀行』（亜紀書房）だ。筆者は金元祚《キム・ウォンジョ》というが、本名ではなくペンネームを使っている。

この本は、韓国系の統一日報紙に一九八三年三月から九月までおよそ百回にわたって連載された記事をまとめたものだ。統一日報は韓国情報機関の関連新聞とされていたため、朝鮮総連系の在日からは「韓国工作機関の捏造記事だ」と批判され、読まないよう指示が出ていた。

だが、こっそり中身を読んでみると、自分たちが祖国訪問で見てきた北朝鮮の真実が書かれており、記事の内容はどうも事実らしい、との噂が広がった。

記事を書いた本人と、担当の鄭益祐記者は、文字通り命がけだった。もし著者が総連系の人物だとわかれば、大騒ぎになりリンチに遭うかもしれない。鄭記者は、絶対に秘密を守り、身辺を保護すると約束して、執筆者を説得したという。

新聞連載が始まり、在日社会で話題になると、鄭記者は尾行されるようになり、身の危険を感じた。朝鮮総連が、情報源を探し当てようと鄭記者の動向を探っていたのである。別の筆者の名前になっているが、鄭記者が取材してまとめているのでは、と疑われていたようだ。

実際の著者は総連系の人間だった。それどころか、著者の家族もみんな朝鮮総連に所属していた。本になって出版されると、著者の家庭でも話題になったが、家族の一人が「誰が書いたのだろう、ひどいやつだね。南朝鮮（韓国）の反共和国（反北朝鮮）宣伝に利用される。許せない」と言い出したので、身の縮む思いをしながら「タバコを吸ってくる」との口実で外に出た、と鄭記者に語ったという。

朝鮮問題では、今も真実を書けないものが多い。当事者がなお生きている場合、公にすると何らかの被害に遭う可能性があるからだ。

「金正恩が正男と一緒に訪中」と誤報を出した朝日新聞

近年においても、北朝鮮では、情報が表に出ず確かめようもないことから、実にいい加減な報道がまかり通るケースが散見される。

例えば二〇〇九年六月十八日、朝日新聞は〈正雲（※当時の表記）氏訪中に、正男氏も同席　胡主席に後継強調か〉というトンデモ記事を報じた。

記事は「北朝鮮の金正日総書記の三男、正雲氏が極秘に訪中し、胡錦濤・中国国家主席と北京で会談」した際、「正男氏は胡主席と面識があり、紹介者として側近とともに列席」したという荒唐無稽なもので、この二日前にも朝日新聞は一面特ダネとして「正雲氏が、金総書記の特使として中国を極秘に訪問」し、「胡錦濤国家主席らと初めて会談、後継者に内定したことが直接伝えられた」と報じている。

「金正恩訪中に、金正男も同席」との報道に、中国外務省の報道官は、記者会見で「事実ではない。まるで『００７』の小説のようだ」と否定した。中国の外務省報道官がこの件で嘘をつく必要はないが、記事が虚偽であることを証明してやる義理もない。下手に動けば、韓国の情報機関のあぶり出しに引っ掛かり、要らぬ情報を出す羽目になるからだ。

　韓国の情報機関は、日朝高官の秘密接触情報など、確認できない記事を日本の記者に書かせ、日本の政府や外務省に確認させるために情報を流すことがある。これは「あぶり出し工作」といわれる。この記事もそうした陽動作戦の一環だったのかもしれない。

　そもそも北朝鮮はこの三週間ほど前に二度目の核実験を行ったばかりで、中国が役職にすらついていない金正恩と国家主席の面会を許すはずもない。これは常識の問題である。また、このころの金正恩と金正男は二人で会う仲ではない。その二人が、一緒に中国諂でをするはずがない。

この記事は日本の朝鮮問題専門家の間でも「虚偽報道」と判断された。「朝日は機能していない。取材力が低下しているのでは」と語り合った。

朝日記者は「誰も確認ができないから、否定される材料も出てくるはずがない」と思って書いたのだろうか。記者は「間違いないニュースソースから聞いた」と社内で強弁したと聞く。その後、この記者は金正男殺害が報じられると、正男との「思い出話」を紙面に綴ってもいる。

記者は当時の主筆系列だったので、それ以上、問題にされなかったと社内でささやかれた。記事が出たのは主筆が交代したばかりだったから、「新主筆へのご祝儀」を狙った記事だったのではないかと社内で揶揄されたという。

このトンデモ報道は「第二の慰安婦報道」との攻撃は受けなかった。だが、その意図するところはどうだったのか。「確実なニュースソース」とは、いったい誰のことだったのか。

新聞社には、取材力がなく真実に届かない記者もいる。政治家や官僚に忖度して、意図的に事実を捻じ曲げる記者もいる。運動に加担しながら、気づかない記者もいる。テレビのニュースやワイドショー番組に登場し、言葉巧みに北朝鮮の〝立場〟を説こうとするコメンテーターも存在する。こうした記者や識者に騙された「世論」をもう一度、違う方向へ動かすのは並大抵の作業では立ち行かない。

右も左も、事実に基づかない「願望的」報道が国民を誤らせる

思えば日韓関係が悪化した大きな要因である慰安婦問題も、朝日新聞の「強制連行」報道が発端だった。

朝日新聞や岩波書店はリベラル左派だが、問題は左派だけにあるのではない。二〇一七年から二〇一八年にかけてのトランプと金正恩の舌戦のさなかには、「米朝戦争開戦へ」「金正恩暗殺計画が発動している」「今度こそアメリカは北朝鮮を許してはおかない」といった、予測とも願望ともつかない言説が飛び交った。

米朝会談が実現し、戦争にならないことが明らかになると、今度は「アメリカは今度こそ北朝鮮に核を廃棄させる」「トランプはＣＶＩＤ（完全かつ検証可能で不可逆な非

核化）以外は許さない」との解説が広がった。

だがいずれも実現しなかった。

「トランプが金正恩に日本人拉致の問題を突き付けた」という解説もあった。確かに米朝会談で話題には出したようだが、拉致問題に関して外交成果と呼べるようなものは何もなかった。

日本での朝鮮半島報道、特に北朝鮮報道は間違いの連続だった。かつては左派的な新聞や学者、評論家が誤った情報を流したが、近年では左派を「お花畑思想」などと批判してきた右派にも、願望含みで現実離れした主張が少なからずみられるようになった。

そうした事実に基づかない解説や言説が、時に外交の行方を左右し、日本の命運さえも左右することを、日本の報道関係者、言論人は肝に銘ずべきだろう。

あとがき　～「嫌韓」と「反日」を超えて～

本書を最後までお読みいただいた読者の方に、御礼申し上げたい。お読みいただければわかるように、この本は、韓国や北朝鮮の崩壊を期待して書いたものではない。逆に、韓国の友人や北朝鮮の知り合いを思うと、心配になるとの思いで書いた。日本と韓国は、「嫌韓」と「反日」を乗り越えるべきだ、との思いを込めた。

朝鮮問題は、意図的な嘘が横行する。新聞やテレビの表面的な報道ではわからない、隠された事実が常にある、との真実を伝えたかった。

大学で学生に「わからない本は、著者が悪い。自分に能力がないと考えてはいけない」と教えてきたので、「わからない内容だった」らわたしの責任で、お詫びしなければならない。

この本では、これまで報道されていない多くの真実を明らかにしたつもりである。わたしは、一九七五年に新聞記者として韓国の大学に留学し、以来朝鮮半島の国際政治や日韓、日朝問題の隠された真実を伝えようと努力してきた。当時は、新聞記者も日本の大学生も、韓国に留学しようとしなかったが、これほど長期間、戦後の朝鮮問題に取り組んだジャーナリストは、産経新聞の黒田勝弘記者とわたしだけだ、との自負がある。

この本で書きたかったのは、朝鮮半島を相手にするには、彼らの歴史と文化、思考方法を頭に入れておかないと判断を間違えるという教訓を基本に、韓国における反日感情の真の原因と、逆に北朝鮮には同じような反日感情はないという現実理解の重要さである。日本人には、なかなか理解できない問題だと思う。

同じ思いで、韓国の人々にも訴えるつもりで書いた。歴史の全てを「他者責任論」で論じてはいけない、と思うからだ。

長い歴史の中で、日本の対朝鮮半島政策と戦略は、間違い続けた。その結果、現代の日本国民は歴史の負の遺産に悩まされている。それを繰り返したくない、との願いで朝鮮問題の報道と研究に、取り組んだ。

戦後の日本での韓国、北朝鮮についての論争や主張は、日本的な空気を背景に、「韓国従属経済論、崩壊論」が支配した。今では想像もつかない空気だった。日本の識者は、日本人の心の底にある「韓国、朝鮮蔑視」の感情を、戦後は長く韓国に向け、最近は北朝鮮に向けてきたから、なお解消していない。

本書で述べたように、韓国の存在を否定する「南朝鮮」の表現を岩波書店の雑誌『世界』や、共産党の「赤旗」、社会党の「社会新報」が使い続け、多くの知識人や学者はこの「虚言」と「幻想」に従った。北朝鮮への「従属的主張」が、日本の空気だった。だからわたしは、戦後日本の「嫌韓論」の源流は岩波書店であった、と述べてきた。わたしは、新聞記者としてこうした「差別と蔑視」のパラダイムを批判してきたから、嫌われるばかりだった。

新聞記者時代には、朝鮮総連の尾行や嫌がらせは日常的だったが、彼らの抗議電話を朝鮮語で撃退した。抗議してくる在日の人々の朝鮮語は、私より下手だった。そんな状況でも、「真実を伝えろ」と支えてくださった先輩や読者も多くいたから、日本人はやはり捨てたものではないと実感し、この仕事を続けることができた。日本は、いい国だと思う。

日本での主張に反論する勇気を与えてくれたのは、キリスト教無教会主義の高橋三郎先生の教えと、韓国の友人たちである。無教会の先生方の多くは、岩波書店にお世話になっていた。韓国留学では、韓国無教会のメンバーが保証人になってくださった。

雑誌『世界』は最後まで、「北朝鮮による日本人拉致はない」と否定した。その影響を受け、無条件に北朝鮮を肯定する人々や、それを支えるメディアがあった。これらは、いずれも日本人の蔑視感情や差別の表出である、とわたしは批判し続けたから、日本社会で広く受け入れられるわけはなかった。「誤ったパラダイムと時代の空気に抵抗するのは、ジャーナリストの役割だ」と毎日新聞の尊敬する先輩に教えられていたから、気にはならなかった。

一九七〇年代には、「韓国は先進国を目指す」の原稿を書いて批判されたが、批判者は反省を語らない。また日本社会党が力のあった時代に、毎日新聞は「落第点の飛鳥田訪朝団」とのわたしの記事を「記者の目」ページに掲載した。

一九九四年に『中央公論』の宮一穂編集長が「石油がないから北朝鮮は戦争できない」という論文を掲載してくださった。今では常識だが、当時の空気では「異端」だった。この論文を読んだＴＢＳ「ニュース23」の筑紫哲也キャスターが、テレビで初めて発言させてくれた。

本書は、フリー編集者の梶原麻衣子さんのアドバイスなしには、完成しなかった。感謝したい。梶原さんは、月刊『ＷｉＬＬ』と月刊『Ｈａｎａｄａ』でお世話になったが、文章構成と文章の手直しでは当時から一流だった。新聞記者は文章を短く簡潔に書きたがるが、雑誌や書籍ではある程度長文の方が読者は読みやすい、と教えていただいた。

最後に、妻と家族にも感謝したい。家族にはいつも「新聞記者は性格が歪んでいる」と注意（激励）されたが、韓国とアメリカ、日本を転々とする生活に翻弄されながらも、自分の人生を切り開いてくれた。

二〇二一年五月

重村智計

絶望の文在寅、孤独の金正恩

「バイデン・ショック」で自壊する朝鮮半島

著者　重村智計

２０２１年７月５日　初版発行
２０２１年７月10日　２版発行

重村 智計（しげむら・としみつ）
１９４５年生まれ。早稲田大学卒。毎日新聞社にてソウル特派員、ワシントン特派員、論説委員を歴任。拓殖大学、早稲田大学教授を経て、現在、東京通信大学教授、早稲田大学名誉教授。朝鮮報道と研究の第一人者で、日本の朝鮮半島報道を変えた。著書は『外交敗北』（講談社）、『日韓朝、「虚言と幻想の帝国」の解放』（秀和システム）など多数。

発行者　佐藤俊彦
発行所　株式会社ワニ・プラス
〒１５０-８４８２
東京都渋谷区恵比寿４-４-９　えびす大黒ビル７F
電話　０３-５４４９-２１７１（編集）
発売元　株式会社ワニブックス
〒１５０-８４８２
東京都渋谷区恵比寿４-４-９　えびす大黒ビル
電話　０３-５４４９-２７１１（代表）
装丁　橘田浩志（アティック）
柏原宗績
編集協力　梶原麻衣子
ＤＴＰ　株式会社ビュロー平林
印刷・製本所　大日本印刷株式会社

ISBN 978-4-8470-6186-8
ワニブックスＨＰ　https://www.wani.co.jp